Elisabeth Langgässer

Der Torso

Späte Kurzgeschichten

Elisabeth Langgässer: Der Torso. Späte Kurzgeschichten

Erstdruck dieser Zusammenstellung unter dem Titel »Der Torso. Kurz-Geschichten«: Hamburg, Claassen und Goverts, 1947.

Neuausgabe
Herausgegeben von Karl-Maria Guth
Berlin 2021

Der Text dieser Ausgabe wurde behutsam an die neue deutsche Rechtschreibung angepasst.

Umschlaggestaltung von Thomas Schultz-Overhage unter Verwendung des Bildes: Elisabeth Langgässer, 1937

Gesetzt aus der Minion Pro, 11 pt

Die Sammlung Hofenberg erscheint im Verlag
Henricus - Edition Deutsche Klassik GmbH, Berlin
Herstellung: Books on Demand, Norderstedt

ISBN 978-3-7437-4121-8

Bibliografische Information der Deutschen Nationalbibliothek:
Die Deutsche Nationalbibliothek verzeichnet diese Publikation in der Deutschen Nationalbibliografie; detaillierte bibliografische Daten sind im Internet über www.dnb.de abrufbar.

Inhalt

Ballade vom Menschen dieser Zeit

Und als überm Bunker der Reichskanzlei
Das Gewölbe die Last nicht mehr trug:
Die Last der Erkenntnis, dass alles vorbei,
Dass das Ende gekommen war – einerlei,
Ob noch dicken sich würde der blutige Brei –
Da erscholl eine Stimme: Genug!

Sie erscholl durch den Himmel, dort klang sie sehr laut,
In der Hölle tönte sie nach.
Die alten Juden, die Gott noch geschaut
Und den Goliath erschlagen, den Tempel gebaut,
Die liefen herbei mit Kebse und Braut
Und den Namen auf »weh« und auf »ach«.

In dem Bunker verbrannte ein Haufen Werg
– Ihre Nase war wieder gut! –
Dreck, Unrat und Magog und Magogs Zwerg
Vergaste, verbrannte und stank, o merk!
Sie aber kamen wie einst von dem Berg,
Und ihr Blut war auch Christi Blut.

Mit den Tafeln im Arm kam der alte Mann,
Mit den Tafeln und einem Gesicht,
Das in Dachau zertrümmert war. Schweißte und rann
Noch immer von Tränen, und dann und wann
Wischte er drüber. Ach Gott, man kann
So was nennen ein menschliches nicht.

Und er hatte ein Holzbein und humpelte sehr,
Und er trug einen Stock in der Hand.
Seine Galle war voll, seine Lende war leer.
Als Achilles ihn schleifte, war immer noch mehr
An dem Hektor von Schönheit und Mann und Gewehr,
Als man hier an dem Humpelnden fand.

4

Eine Drehorgel zog er zur Reichskanzlei,
Und er deutete mit dem Stab
Auf des Dekalogs leisen und dringenden Schrei
Und der Menschenart ewiges Alleinerlei,
Und sein Stock war so schwer, und sein Herz war wie Blei,
Ob es jemals ein schwereres gab?

An dem Bunker standen vier Männer auch,
Und der Vierte war Stadtkommandeur.
»What's the matter?«, hieß es nach Fug und Brauch
Bei zweien. Der Dritte sah in den Rauch,
Und: »Qu'est-ce que c'est que ça?«, ging ihm vom Munde ein
    Hauch
Doch der Vierte sprach gar nichts mehr.

Denn was sollt' er auch sagen, ich frage euch still,
Da die Tatsachen hatten das Wort?
Und was nutzt einem, der es nicht wissen will,
Dass doch Hektor im Unrecht war, und nicht Achill,
Wenn die Ratte die Wahrheit auch pfeift auf dem Müll,
Und der Ritzenwind auf dem Abort?

Und die Drehorgel jammert und jammert so nah ...
Ihrem Sohn eine Hand auf das Knie
Legt die gute Madonna von Fatima.
Doch er sieht sie nur an, wie noch niemals er sah,
Seit die Söldner ihn höhnten auf Golgatha:
»Lass dein Bitten. Jetzt richte ich sie!«

Der Torso

Als die drei Männer mit ihrem Holzpflug aus der Blockhütte in das Freie kamen, merkte man erst, wie tüchtig sie zugerichtet waren. Vor allem das Gesicht des Japaners war vollkommen platt geschlagen, es glich einer scharf geräucherten Flunder mit runzeliger Haut. Auch Johnny hatte ganz ordentlich bei der Sache was abbekommen; er schleifte das linke Bein ziemlich deutlich unter dem Körper her, der linke Arm war gleichfalls gelähmt, und wenn er lachte, verzog sich der Mund zu einer Diagonale in seinem Vollmondgesicht. Habakuk war noch am besten erhalten, obwohl ihm eigentlich durch den Luftdruck am schlimmsten mitgespielt worden sein musste, doch waren seine Verletzungen nicht äußerlicher Art: Er würde wohl für die Zeit seines Lebens eine losgerissene Niere und Gallenstörungen haben.

Im Übrigen waren alle drei froh, davongekommen zu sein. Evelyne, Johnnys Frau, meinte das übrigens auch. Freilich war ihre Stellung zwischen den übrig gebliebenen Männern noch ziemlich ungeklärt und jedenfalls ohne Vorbild – aber schon jetzt schien es ziemlich sicher, dass jeder von ihnen ein Recht auf sie hatte, von dem er übrigens noch nicht wusste, ob er Gebrauch davon machen würde, denn keiner hatte schon wieder Lust, sich zufällig zu vermehren. Weil Evelyne, wie sie behauptete, sich über alles erst klar werden musste, war sie zu Hause geblieben. Johnny war einverstanden damit, denn sie störte ihn bloß beim Denken, und Denken – oder vielmehr Erfinden – war jetzt die Hauptarbeit, die er zu leisten hatte.

»Good bye, Evelyne!«

»Good bye. Kommt bald wieder, sonst wird das Irish Stew kalt. Und gib schön acht auf ihn, Habakuk, wenn er wieder das Bein zu rasch vorwärts zieht und über die Pflugschar fällt.«

»Okay.« Und nun waren sie hier. Sie standen auf einer sandigen Fläche, die gegen den zweiten Abhang hin von Kiefern abgegrenzt wurde, und, wie Johnny behauptete, wie geschaffen für ihren Holzpflug war.

»Los, Habakuk, singe!«, sagte er, während er den Japaner vor seine Erfindung spannte. Sie setzten sich alle drei in Bewegung, das neue Gestell, wie ein kleines Kind, das eben erst gehen gelernt hat, schwankte unsicher hin und her und holperte über jede Scholle, die es zur Seite legte. Johnny runzelte seine Stirn und dachte angestrengt nach. Er war durchaus noch nicht von der Sache und ihrer Leistung befriedigt, aber er wusste, es würde schon kommen, wie alles nach und nach kam. Darum war es vielleicht auch nicht richtig, von einer »Erfindung« zu sprechen; man hätte »Erinnerung« sagen müssen, denn Johnny und auch die beiden andern wussten natürlich genau, dass dies alles schon früher einmal vorhanden gewesen war – früher, vor dieser letzten und tollen Katastrophe, von der sie beim Sprechen zu sagen pflegten, dass sie wirklich »ganz anständig« war. Jeder von ihnen hatte noch immer einen ziemlichen Vorstellungsschatz; einen Schatz von Gefühlen, Erinnerungen und genau begrenzten Kategorien, die er heraufholen musste, um sie den anderen mitzuteilen; doch das Heraufholen war nicht leicht, weil ihre Seelen wie Siebe gelöchert worden waren und vieles unterwegs fallen ließen, bevor es ans Tageslicht kam. Am meisten hatte noch Habakuk von den früheren Zeiten behalten: Sein Gehirn war auf Katastrophen trainiert, denn seine Vorfahren hießen Mendel, Baruch und Rubinstein. Auch der Japaner litt nicht zu sehr unter dem allgemeinen Kopf- und Erinnerungsschwund. Er war sogar ziemlich glücklich darüber, sich endlich wieder mit einem Tonkrug und einer Matte begnügen zu können, die er aus Schilfrohr geflochten hatte, denn seine Fähigkeit, sich Amerika anzugleichen, war überstrapaziert. Am ärgerlichsten war es für Johnny, welcher ein Mann des Fortschritts gewesen und jetzt auf den nackten Anfang zurückgeworfen war. Ihn peinigte vor allem ein Wort, das so ähnlich wie »Ferrum« hieß; er fühlte, dass er am Ende nicht weiterkommen würde; wenn diese Sache ihm fehlte; doch gleichzeitig hatte er das verdammte und unangenehme Bewusstsein, dass es das Wort überhaupt nicht mehr gab, vielmehr die Sache nicht, die das Wort einmal bezeichnet hatte. Sie fehlte von jetzt ab, wie manches fehlte und nicht mehr zu beschaffen sein würde, weil es in seine Atome zerfallen oder verwandelt war ...

Als der Pflug seine dritte Furche gezogen, und Habakuk bei der Stelle des einhundertzweiten Psalmes, wo des Menschen Tage mit Gras und er selbst mit einer Blume des Feldes verglichen wird, angelangt war, wusste Johnny schon ziemlich genau, was seiner Erfindung noch fehlte; nach der sechsten Furche blieb Johnny stehen und blickte nach der Sonne, die nun bedeutend niedriger stand als vor dem Beginn seiner Arbeit: Die Erde musste »seit damals«, wie die Männer in schweigender Übereinkunft sich zartfühlend auszudrücken pflegten, ihre Umdrehungsdauer bedeutend verkürzt und den Ablauf der Zeit, ohne Evelyne um ihre Meinung zu fragen, entsetzlich beschleunigt haben.

»Noch eine Furche und dann ist Schluss!«, rief Johnny den beiden anderen zu und setzte von Neuem den Pflug auf die Erde; der Japaner ging vorwärts, und Habakuk sang den Psalm im Vesperton aus. In diesem Augenblick bockte die Pflugschar und stieß an etwas an; sie stieg wie ein scheuendes Pferd in die Höhe und legte sich seitwärts um. »Verflucht noch mal«, rief Johnny verärgert – dann gruben sie gemeinsam einen mächtigen Torso aus. »Was is'n das, Habakuk?«, fragte Johnny. »Wo kommt dieser Kerl denn her?« Die letzte Frage war ganz idiotisch, denn damals waren die Dinge aus aller Welt durcheinander gewirbelt und irgendwo abgesetzt worden; auch Habakuks Wanderniere ging wahrscheinlich darauf zurück.

»Woher soll ich ihn kennen, Gott der Gerechte? Zwei Mark und fünfzig, kein Pfennig mehr, denn es ist bloß ein Gipsabguss«, erwiderte Habakuk.

Sie hockten jetzt um den Torso herum, der Japaner befühlte die Muskeln des kopf- und beinlosen Mannes; den Bizeps der beiden Oberarme und den mächtigen Brustkorb, die schöne flache und doch kräftige Bauchdecke, die sich zum Ansatz der Schenkel hin verjüngte. Endlich blickten die Männer einander prüfend an und dann wieder auf den Torso. »Ich finde, er sieht dir ähnlich, Johnny«, sagte Habakuk schließlich und fügte hinzu: »Ich meine das natürlich nicht deshalb, weil einiges an ihm fehlt.«

»Ich finde, er sieht uns allen ähnlich«, gab Johnny unbeleidigt zurück und starrte mit versunkenem Ausdruck auf den verstümmelten Mann. »Übrigens kommt es mir immer mehr vor, als ob ich ihm schon früher einmal begegnet wäre. Es wird wahrscheinlich im Omnibus von Cook gewesen sein. Die Stadt fing mit A an –« – »Akropolis«, sagte Habakuk wie aus der Pistole geschossen. »Aber das war dann der richtige Mann und nicht sein Gipsabguss.«

»Ich find auch den sehr hübsch«, meinte Johnny, von Andenkenwut gepackt. »Auf jeden Fall wird sich Evelyne freuen, denn er passt auf ihr Vertiko. Oder will ihn ein anderer haben?«

Es stellte sich heraus, dass die andern den Mann nicht haben wollten – Habakuk nicht, weil ihm eine Kopie, wie er sagte, gegen den Strich ging; der Japaner nicht, weil er nicht wusste, wohin er ihn stellen sollte. Sie pflügten dann ihre letzte Furche und gruben noch etwas Zweites aus, das weniger wirkungsvoll war. Trotzdem freuten sich alle sehr, denn das Ding war aus Holz und war deshalb ganz unbeschädigt geblieben: Ein Autoschild mit zwei gekreuzten Knochen und großer lateinischer Schrift.

»Kannst du lesen, Habakuk?«, fragte Johnny. Habakuk meinte, das wäre gelacht, und buchstabierte den Text. »Achtung! Fahrt langsam an dieser Biegung! Der Tod ist dauerhaft.«

»Aha«, sagte Johnny erleichtert. »Jetzt wissen wir wenigstens wieder, wo wir eigentlich sind.«

Das Stillleben

Die Schneiderbüste, mit schwarzem Lüster straff und glatt überzogen, stand leer; die Form ihres drollig geschwungenen Beinchens glich einem von einem Zuckerbäcker mit der Spritze geformten Aufsatz einer süßen Kirschbaisertorte. Vor der Büste war ein niedriger Hocker mit allerlei Bric à Brac: einer hübschen kleinen Schale zum Beispiel von italienischer Herkunft, welche als Aschbecher diente, und im Fond einen springenden Hasen zeigte, dessen erdbrauner Leib von dem Ornament einer ringsum laufenden Thymianranke mit zierlichen Blättchen eingefasst war, zwischen denen, immer in gleichem Abstand, eine blaurote Blüte saß. Die angerissene Packung bulgarischer Zigaretten und ein blassblaues Schächtelchen aus Valencia mit kurzen Wachszündhölzchen lehnten gegen den Ascher; aus der Packung leckte die glänzende Zunge des harten Stanniolpapiers. Bunte Armbänder aus geschmolzenem Glas, ein paar schwere getriebene Silberringe, deren plumpe Fassung den tiefroten Tropfen sehr großer Korallen umschloss, und eine Kette, aus Kupferkugeln und Paranüssen zusammengestellt, waren übereinander geschoben und glichen üppigen, rohen

Träumen, die liegengeblieben waren. Ein glasierter Tonteller, ockergelb mit dunkelgrünen Spiralen, stand mitten auf dem Tischchen. Er war angehäuft mit Paprikaschoten, welche noch unreif waren, rötlich getupften Mirabellen, die einen graublauen Überzug aus Atmosphäre trugen, und Frühsommerbirnchen, die Zipfelmützen durcheinandergepurzelter Gnome glichen und Stiele hatten, die doppelt so lang wie die blassgelbe Mütze waren. Quer über dem Hocker – ein kräftiger Strich aus kalkweißem Ziegenleder – lag ein Paar Handschuhe, unten am Boden standen auf hohen Hacken die silbernen Sandaletten, das Kleid war über den Stuhl geworfen: ein Hauch wie Südsee – schwarzblauer Schaum mit großen Margeriten.

Das alles vor einem abgeschrägten, durch bleigefasste Quadrate aus Glas unterteilten Atelierfenster; eine Scheibe war hoch gestellt, und das Viereck, von unwahrscheinlicher Helle erfüllt, sparte ein Stück des Morgenhimmels in seiner Öffnung aus.

Dieses Viereck, wie ein strahlendes Auge, stand unverändert und regungslos in dem diffusen, zartgrauen Licht des Schneiderateliers. Es stand an jenem heiteren Sonntag fast ohne Wolken und ohne die Zuckung vorüberschießender Schwalben über dem niedrigen Hocker und seinem Bric à Brac. Eine Flasche Bordeaux wäre noch zu erwähnen, welche ausgetrunken am Boden lag und die Aufschrift »Entre deux mers« gegen den Himmel kehrte.

Im Übrigen war das Atelier leer; so leer und so unbeachtet von Menschen, dass die Schneiderbüste es wagen konnte, sich langsam um sich selber zu drehen – langsam und feierlich auf dem dünnen, drollig gedrehten Säulchen wie ein antiker Chor. Sie drehte sich in der Richtung des Uhrzeigers unermüdlich und ohne innezuhalten vom Morgen bis zum Abend an den hübschen kleinen Dingen vorüber, die, hätte die Schneiderbüste einen Kopf auf den Schultern getragen, in ihr Blickfeld gekommen wären: an dem Schälchen mit dem springenden Hasen, dem blassblauen Schächtelchen aus Valencia, dem Teller mit den Paprikaschoten, den Mirabellen, den Frühsommerbirnen, den bunten Armbändern und den Ringen, die ab und zu winzige Feuerfunken und zornige kleine Blitze entließen, die wie aus dem Innern der Erde zurückgeschleudert waren. Sehr spät erst, mit Sonnenuntergang, kam die kreisende Büste zur Ruhe. Sie stand jetzt, gemessen an einer Welt, die sie umwandelt hatte, wie zu dem Pol der Nadir. Es wurde kühl, es wurde sehr dunkel … die Farben vergingen und auch die Formen – und endlich wurde es Nacht.

Man schrieb den 22. Juni des Jahres 41.

Saisonbeginn

Die Arbeiter kamen mit ihrem Schild und einem hölzernen Pfosten, auf den es genagelt werden sollte, zu dem Eingang der Ortschaft, die hoch in den Bergen an der letzten Passkehre lag. Es war ein heißer Spätfrühlingstag, die Schneegrenze hatte sich schon hinauf zu den Gletscherwänden gezogen. Überall standen die Wiesen wieder in Saft und Kraft; die Wucherblume verschwendete sich, der Löwenzahn strotzte und blähte sein Haupt über den milchigen Stängeln; Trollblumen, welche wie eingefettet mit gelber Sahne waren, platzten vor Glück, und in strahlenden Tümpeln kleinblütiger Enziane spiegelte sich ein Himmel von unwahrscheinlichem Blau. Auch die Häuser und Gasthöfe waren wie neu: ihre Fensterläden frisch angestrichen, die Schindeldächer gut ausgebessert, die Scherenzäune ergänzt. Ein Atemzug noch: dann würden die Fremden, die Sommergäste kommen – die Lehrerinnen, die mutigen Sachsen, die Kinderreichen, die Alpinisten, aber vor allem die Autobesitzer in ihren großen Wagen … Röhr und Mercedes, Fiat und Opel, blitzend von Chrom und Glas. Das Geld würde anrollen. Alles war darauf vorbereitet. Ein Schild kam zum andern, die Haarnadelkurve zu dem Totenkopf, Kilometerschilder und Schilder für Fußgänger: Zwei Minuten zum Café Alpenrose. An der Stelle, wo die Männer den Pfosten in die Erde einrammen wollten, stand ein Holzkreuz, über dem Kopf des Christus war auch ein Schild angebracht. Seine Inschrift war bis heute die gleiche, wie sie Pilatus entworfen hatte: I.N.R.I. – die Enttäuschung darüber, dass es im Grund hätte heißen sollen: er behauptet nur, dieser König zu sein, hatte im Lauf der Jahrhunderte an Heftigkeit eingebüßt. Die beiden Männer, welche den Pfosten, das Schild und die große Schaufel, um den Pfosten in die Erde zu graben, auf ihren Schultern trugen, setzten alles unter dem Wegekreuz ab; der Dritte stellte den Werkzeugkasten, Hammer, Zange und Nägel daneben und spuckte ermunternd aus. Nun beratschlagten die drei Männer, an welcher Stelle die Inschrift des Schildes am besten zur Geltung käme; sie sollte für alle, welche das Dorf auf dem breiten Passweg betraten, besser: befuhren, als Blickfang dienen und nicht zu verfehlen sein. Man kam also überein, das Schild kurz vor dem Wegekreuz anzubringen, gewissermaßen als Gruß, den die Ortschaft jedem Fremden entgegenschickte. Leider stellte sich aber heraus, dass der Pfosten dann in den Pflasterbelag einer Tankstelle hätte gesetzt werden müssen – eine Sache, die sich von selbst verbot, da die Wagen, besonders die größeren, dann am Wenden behindert waren. Die Männer schleppten also den Pfosten noch ein Stück weiter hinaus bis zu der Gemeindewiese und wollten schon mit der Arbeit beginnen, als ihnen auffiel, dass diese Stelle bereits zu weit von dem Ortsschild entfernt war, das den Namen angab und die Gemeinde, zu welcher der Flecken gehörte. Wenn also das Dorf den Vorzug dieses Schildes und seiner Inschrift für sich beanspruchen wollte, musste das Schild wieder näher rücken – am besten gerade dem Kreuz gegenüber, sodass Wagen und Fußgänger zwischen beiden hätten passieren müssen.

Dieser Vorschlag, von dem Mann mit den Nägeln und dem Hammer gemacht, fand Beifall. Die beiden anderen luden von Neuem den Pfosten auf ihre Schultern und schleppten ihn vor das Kreuz. Nun sollte also das Schild mit der Inschrift zu dem Wegekreuz senkrecht stehen; doch zeigte es sich, dass die uralte Buche, welche gerade hier ihre Äste mit riesiger Spanne nach beiden Seiten wie eine Mantelmadonna ihren Umhang entfaltete, die Inschrift im Sommer verdeckt und ihr Schattenspiel deren Bedeutung verwischt, aber mindestens abgeschwächt hätte.

Es blieb daher nur noch die andere Seite neben dem Herrenkreuz, und da die erste, die in das Pflaster der Tankstelle überging, gewissermaßen den Platz des Schächers zur Linken bezeichnet hätte, wurde jetzt der Platz zur Rechten gewählt und endgültig beibehalten. Zwei Männer hoben die Erde aus, der dritte nagelte rasch das Schild mit wuchtigen Schlägen auf; dann stellten sie den Pfosten gemeinsam in die Grube und rammten ihn rings von allen Seiten mit größeren Feldsteinen an.

Ihre Tätigkeit blieb nicht unbeachtet. Schulkinder machten sich gegenseitig die Ehre streitig, dabei zu helfen, den Hammer, die Nägel hinzureichen und passende Steine zu suchen; auch einige Frauen blieben stehen, um die Inschrift genau zu studieren. Zwei Nonnen, welche die Blumenvase zu Füßen des Kreuzes aufs Neue füllten, blickten einander unsicher an, bevor sie weitergingen. Bei den Männern, die von der Holzarbeit oder vom Acker kamen, war die Wirkung verschieden: Einige lachten, andere schüttelten nur den Kopf, ohne etwas zu sagen; die Mehrzahl blieb davon unberührt und gab weder Beifall, noch Ablehnung kund, sondern war gleichgültig, wie sich die Sache auch immer entwickeln würde. Im Ganzen genommen konnten die Männer mit der Wirkung zufrieden sein. Der Pfosten, kerzengerade, trug das Schild mit der weithin sichtbaren Inschrift, die Nachmittagssonne glitt wie ein Finger über die zollgroßen Buchstaben hin und fuhr jeden einzelnen langsam nach wie den Richtspruch auf einer Tafel ...

Auch der sterbende Christus, dessen blasses, blutüberronnenes Haupt im Tod nach der rechten Seite geneigt war, schien sich mit letzter Kraft zu bemühen, die Inschrift aufzunehmen: Man merkte, sie ging ihn gleichfalls an, welcher bisher von den Leuten als einer der ihren betrachtet und wohlgelitten war. Unerbittlich und dauerhaft wie sein Leiden, würde sie ihm nun für lange Zeit schwarz auf weiß gegenüberstehen.

Als die Männer den Kreuzigungsort verließen und ihr Handwerkszeug wieder zusammenpackten, blickten alle drei noch einmal befriedigt zu dem Schild mit der Inschrift auf. Sie lautete: »In diesem Kurort sind Juden unerwünscht.«

Die Sippe auf dem Berg und im Tal

Ob er heute noch lebt, kann ich wirklich nicht sagen – mein Mann und ich haben schon lange nichts mehr von diesem Zweig der Verwandtschaft gehört, und überhaupt bin ich selbst kein Freund von langen Familiengeschichten: Sie sind meistens ganz uninteressant. Aber es ist natürlich gut möglich, dass man ihn doch noch am Ende in ein Irrenhaus stecken musste, den Vetter Alban samt seiner Behauptung: er, ganz allein er, sei schuld. Man weiß ja, wie hartnäckig solche Leute an ihren Ideen hängen; mit solchen Leuten meine ich die, die nicht eigentlich wahnsinnig sind, sondern nur von einem Gedanken besessen, den andere Menschen nicht einsehen wollen, weil ihre Weltordnung sonst gestört oder am Ende nicht haltbar wäre – man kennt das an sich selbst. Für gewöhnlich helfen sich dann die Normalen, indem sie die fixe Idee dieser Menschen mit anderen fixen Ideen in einen Suppentopf werfen: zum Beispiel mit der fixen Idee, der Kaiser von China zu sein, oder ein großer Erfinder oder der wiederkehrende Christus oder sonst eine Abstrusität. Dann ist natürlich alles ganz klar, dann sagt man mit vollem Recht: »Verrückt!« und beruhigt sich wieder dabei. Wahrscheinlich hat seine Frau, die Mathilde, seine Schwiegertochter, sein großer Enkel und die übrige Sippschaft das auch so gemacht, denn sie mussten ja weiterleben. Sie mussten für ihren schönen Hof und den Kolonialwarenladen leben, in dem man selbst im Jahr 43 noch allerlei kaufen konnte; vor allem aber musste die arme Mathilde für ihre Hoffnung, den ältesten Sohn noch einmal wiederzusehen, leben – ihren Liebling, der in Stalingrad blieb, vielleicht ist er jetzt wieder da.

Im Übrigen finde ich, dass sie es alle im Grund gar nicht nötig hatten, sich über den Alban groß zu erheben und sich klüger zu dünken als er. Die ganze Familie, ich sage es mit einigem Widerstreben, war etwas rappelig. Gescheite Leute, gar keine Frage, aber alle ein bisschen gespritzt. Sehr musikalisch, ein Onkel zum Beispiel musste jedes Jahr nach Bayreuth oder nach Salzburg fahren, ein anderer ging nach Amerika, überhaupt sind sehr viele ausgewandert, einer gar in die Türkei.

Das alles: ich meine der Zustand dieser großen, verzweigten Familie, ist mir erst klar geworden, als ich in dem entsetzlichen Sommer der ersten Großangriffe mit den Kindern nach Hessen hinunterfuhr, um die Kleinen zu evakuieren. Es war nach der Zerstörung von Hamburg, und wir erwarteten in Berlin, als nächste daran zu sein. Man hörte nur noch von »coventrysieren« und »ausradieren« reden – diese Ausdrücke haben mich immer an die schönste deutsche Ballade erinnert; an die »Kraniche des Ibykus« nämlich. Ahnt man vielleicht schon, wieso? Kurzum, ich fuhr nach Hessen hinunter, nach dem Städtchen Amöneburg. »Städtchen« heißt es von früher her; heute ist es nichts weiter als eine Handvoll von jeder Bedeutung und jedem Wohlstand verlassener Häuser, einem Amtsgericht, einem geistlichen Stift und einer Burgruine – so einsam und so gänzlich verloren wie nur ein

Stück Mittelalter es sein kann, das hoch auf einem vulkanischen Kegel inmitten der Ebene liegt und seinen Verfall den vier Winden preisgibt, die um die Ringmauer wehen. Am schönsten sind dort oben die Wolken und die mächtigen alten Nussbäume; damals war ein richtiges Nüssejahr, jeder Baum hing so brechend voll, dass er gestützt werden musste. Daran entsinne ich mich noch genau, vielleicht, weil diese gestützten Bäume für mein Gefühl eine dunkle Verbindung mit meinen Verwandten hatten, deren zwei im Rollstuhl gefahren wurden: Sie hatten ein schweres Rückenmarkleiden, und das Mädchen, das sie abwechselnd schob, war selber tuberkulös. Die Schwindsucht ist da oben nicht selten; mein Schwiegervater, der Schiffsarzt Meander, heilte sie erst auf hoher See zwischen Ceylon und Borneo aus.

Von ihm, diesem kühnen und klugen Menschen, der leider schon lange tot ist, gibt es ein Kinderbildchen, und wahrscheinlich war dieses Daguerrotyp der geheime Grund für meinen Entschluss, zuerst nach Amöneburg zu fahren und nicht, wie mein Mann mir geraten hatte, zu der Verwandtschaft des Alban Klein, welche den Hof und den Kaufmannsladen im Fuldaischen haben. Man sieht da auf diesem Daguerrotyp das Kind an dem Knie seiner Mutter, einer schwarz ge-kleideten Bauernfrau, lehnen, wie der Fotograf es hingestellt hatte: jeder Zoll ein geborener Lord. Am eigentümlichsten sind seine Augen – scharfe, sehr helle und kühle Augen, die etwas Unbeirrbares haben, einen Blick, der damals schon durch und durch sah, und dem man nicht ausweichen kann. Wahrscheinlich war ich selbst auf der Suche nach einer Antwort – Frage und Antwort lagen im Grunde nah bei-einander, wir wussten es nur noch nicht. Ich besuchte also die Heimat und Herkunft des Arztes Meander, das Grab seiner Eltern und das Haus seiner Vettern und Basen –, aber dass ich dort mit den Kindern nicht würde bleiben können, hatte ich schon geahnt. Natürlich rieten mir die Verwandten, den Alban und die Mathilde Klein bei Fulda aufzusuchen – die mit dem Hof und dem Kaufmannsladen –, und wäre nicht der Pfarrer Karl Josef auf der anderen Seite von Fulda ge-wesen, so wäre ich sicherlich ohne Umweg zu Mathilde und Alban gefahren. So aber wollte ich diesen Pfarrer, den leiblichen Vetter des Arztes Meander, noch vorher kennenlernen – sicherlich mit der ver-stiegenen Hoffnung, in dem herrlich alten Pfarrhaus, das früher ein Adelshof war, unterschlüpfen zu können. Diese romantische Träumerei verging mir allerdings schon gleich am Anfang, als ich der Wirtschafterin des Pfarrers, einem richtigen Hausdrachen, über den Weg lief – der unausrottbaren, frommen Sorte, die sich immer gleich bleiben wird. Trotzdem war mein Besuch nicht vergeblich, und der Herbsttag bei meinem Verwandten Karl Josef, Pfarrer von Unterlüders, wird mir wie einer der seltenen Träume, in denen man wie eine Samenwolke über Berge und Täler hintreibt, ganz unvergesslich bleiben. Man muss sich vorstellen, dass dieser Ort im Gegensatz zu Amöneburg fast eine Kleinstadt ist: weit und locker und sozusagen im Stil eines Fürstensitzes gebaut, das er im Grunde auch war – er gehörte früher zum Bistum Kurmainz, überall sieht man das Rad im Wappen und das Wappen der Fürstbischöfe.

Mein Verwandter nahm mich sehr herzlich auf und holte einen Wein aus dem Keller, den wir zusammen bei Kerzenlicht tranken, während die viermotorigen Kästen der Royal Air Force über uns weg nach Fulda und Kassel und noch weiter nach Osten zogen. Wir redeten von diesem und jenem, der Pfarrer war früher weit in der Welt herumgekommen und mit seinem Vetter, dem Schiffsarzt Meander, ein paarmal auch nach Chicago gefahren. Zurückgekehrt, wurde er dann, was die Leute einen Arbeiterseelsorger nannten; er schloss sich den Gewerkschaften an und spielte eine Rolle als christlicher Arbeiterführer. Während er redete und erzählte und mir Bilder und alte Postkarten zeigte, blieb es natürlich nicht aus, dass wir beide von Schuld und Hoffnung und von der Zukunft, und wie sie wohl aussehen würde, sprachen; von der Buße und von dem Gericht. Was der Pfarrer Karl Josef im Einzelnen sagte, weiß ich heute nicht mehr genau; aber plötzlich, während wir redeten, und der Niersteiner in der Flasche sich senkte, und die Kerze herunterbrannte, fiel mir die Ähnlichkeit mit dem Bild aus dem Städtchen Amöneburg auf; die Ähnlichkeit mit seinem Vetter Meander, und ich sah ganz deutlich: Dies war der Blick und die Haltung des kleinen Knaben auf dem alten Daguerrotyp – dieser feurigblaue, gerade Blick und die edelmännische Haltung eines geborenen Lords. Blitzartig zuckte, wie über das Glas eines erblindeten Spiegels, über mein Herz eine Doppelflamme, die rechts und links von der Fläche stand, und hier und dort drüben das Gleiche bewirkte, das Gleiche erläuterte ...

»So war die Entwicklung«, sagte der Pfarrer. »Und so wird das Ende sein. Wer Wind gesät hat, wird Sturm ernten –«, er fügte noch einige Worte hinzu, deren Sinn ich nicht mehr auffassen konnte, weil ich müde geworden war.

Nachträglich ist es mir so gewesen, als ob der Pfarrer mich »meine Tochter«, ganz wie im Beichtstuhl, nannte, und dass er abschließend zu mir sagte, die letzte Begründung könne am besten der Vetter Alban geben. Auf diese Weise habe ich wirklich die Antwort auf meine Frage gefunden – aber, dass Frage und Antwort, ich wiederhole es noch einmal, so nah beieinanderlagen, hätte ich nicht gedacht.

Auch hier war ein Nussbaum und waren Wolken, wir gingen im Grasgarten auf und nieder, der Vetter Alban und ich. Die Kinder warfen mit Steinen nach den grünen, ledernen Kugelfrüchten, manchmal fiel eine zu Boden, dann gab es einen ganz leichten Aufschlag wie immer, wenn etwas fast wie von selbst und durch sich selber geschieht. Dazwischen ging seine Frau, die Mathilde, in dem Grasgarten hin und wider, um Wäsche aufzuhängen, und während sie sich bückte und reckte, und die Klammern in ihrer Schürze bescheiden klapperten, fragte die Frau mich nach diesem und jenem, und Alban hörte zu. Er war ein schwerer, sehr plumper Mann mit blassem Gesicht, einer trockenen Haut und feinen Kaufmannshänden.

»Welch ein Unglück!«, sagte die Frau Mathilde.

»Ich bin schuld daran«, sagte der Mann.

»Der Luftkrieg wird von Tag zu Tag schlimmer.«

»Ich bin schuld daran«, sagte der Mann.

»Alles verloren«, sagte die Frau. »Das Gut, das Blut und die Ehre.«

»Ich bin schuld daran«, sagte der Mann.

»Unser Schwiegersohn ist jetzt auch vermisst.«

»Ich bin schuld daran«, sagte der Mann.

»Ganze Familien hier sind ohne Söhne und Schwiegersöhne –.«

»Ich bin schuld daran«, sagte der Mann.

»Warum bist du schuld daran?«, fragte ich endlich. Er gab keine Antwort, Mathilde seufzte und schüttelte den Kopf. »Warum glaubt er denn, dass er schuld daran ist?«, fragte ich seine Frau.

»Weil er falsch gewählt hatte«, sagte sie leise. »Er hat früher einmal das Falsche gewählt. Im Jahre 32. Darüber kommt er nicht weg.«

»Ach«, sagte ich fast enttäuscht, weil nichts weiter an seiner Behauptung dran war. »Das haben doch die meisten ...«, da ging die Sirene los. Sie ging mir durch Mark und Bein, muss ich sagen, obwohl ich doch eigentlich wissen konnte, dass hier nichts passieren würde – hier auf dem flachen Land. Die Leute blieben auch ganz ruhig draußen, die Frau hing weiter die Wäsche auf, und die Kinder fingen zu wetten an, wann die Flieger herüberkämen.

Sie kamen denn auch wirklich sehr bald und zogen mit majestätischem Brummen in geschlossenen Formationen ihr Flugbild über den Himmel; man sah die silbernen Flügel blitzen und bewunderte sie, wie man Vögel bewundert, die nach dem Süden ziehen. So unbeirrt zogen sie über den Himmel, so fern und jenseits von Gut und Böse, dass man fast darüber vergessen konnte, mit welcher Ladung sie flogen. Plötzlich aber, ich weiß nicht warum, fiel mein Blick auf den Vetter Alban, der etwas abseits stand. Er hatte die Arme weit ausgebreitet und den Kopf in den Nacken zurückgebogen – selbstvergessen – »Hier, nehmt mich hin und richtet mich!«, schien diese Haltung zu sagen. »Ich, ganz allein ich, bin schuld.« Dann schlug er, die Arme beugend, mit geballten Fäusten auf seine Brust und trommelte einen heftigen Wirbel, um wieder von Neuem die offene Brust der Gerechtigkeit anzubieten: »Ich, ganz allein ich, bin schuld.«

Endlich führte die Frau ihn ins Haus, und er folgte ihr wie ein Kind. In der Luft war es still; so still, dass von ferne die ersten Einschläge hörbar wurden, das Abwehrfeuer und Bombe um Bombe, die sich hoch aus dem Himmel lösten. Ihre Aufschläge, weit von uns allen entfernt, klangen für unser Ohr nicht anders als das Poltern der Nüsse, wenn sie am Boden auf die gilbende Grasfläche prallen. Doch für das Ohr der Gerechtigkeit klangen sie wohl sehr laut.

Verlagert

Die drei Koffer trafen sich an der Sperre, und da sie nicht etwa als Passagiergut, sondern getrennt von ihren Besitzern – in das Riesengebirge der eine, nach Oberschlesien der andere, und der dritte nach Reichenbach fuhren – blieben sie in dem Eisenbahnwagen noch weiterhin zusammen und fanden es schließlich nötig, einander vorzustellen. Natürlich nicht gleich und eigentlich nur, weil der eine von ihnen es wollte: der Schließkorb mit der Wachstuchbespannung, ein Vatterchen von gediegenem Äußern, bisschen schwerfällig, ausgesprochen vom Lande, obwohl er vielleicht aus der Gegend der Jannowitzbrücke war – aber dort gibt es ja solche genug: erste Generation in der Stadt und ein kleiner, biederer Klempnerladen, die Wohnung im selben Haus. Er hatte auch gleich seinen Spitznamen weg, den die beiden anderen Herren ihm gaben; der eine, der sich mit harmloser Miene einen »lustigen Springinsfeld« nannte, und der andere, ein gebildeter, auffallend gut gekleideter Herr mit richtigem Goethekopf: Goethe auf den Ruinen Roms von Heinrich Wilhelm Tischbein. Man weiß schon, was ich meine. Also wirklich: ein sehr gebildeter, ein hochgebildeter Mann. Nun, die beiden gaben dem Schließkorb, wie ich eben schon sagte, einen Spitznamen, weiter nichts Schlimmes, und nannten ihn die »ehrliche Haut«, wenn sie über ihn sprachen.

Springinsfeld, Goethekopf, ehrliche Haut. Das waren die Namen des Kofferkleeblatts, und ich denke, dass man sich jetzt ein Bild von den drei Herren macht. Übrigens darf man nicht etwa glauben, der Springinsfeld und der Goethekopf hätten besser zueinander gepasst, als der Goethekopf und die ehrliche Haut. Sie verstanden es nur, sich auszudrücken, auch wo überhaupt nichts zum Ausdrücken da war; aber wo ist schon, du lieber Himmel, etwas Besonderes auszudrücken, wenn man zusammen verreist? Oder ist es wohl jemals vorgekommen, dass eine Reisebekanntschaft ihre Versprechungen hält? So etwas war ja niemals von Dauer; auch, wenn man sich noch so ehrlich verspricht, hinterher eine Karte zu schreiben. Ich sage: selbst, wenn in der Sommerfrische zwei Sandburgen nebeneinander liegen, fragt man schon vier Wochen später: Hat der nun eigentlich Meier mit ei oder mit ai geheißen? Der hat überhaupt nicht Meier geheißen, na, es ist ja auch einerlei. Bedeutungsvoll war doch allein der Sturm, der kurz vor dem Ende der Ferien unsere Burg zerstört hat – und so eine Burg wie unsere Burg, hat es solange es einen Strand gibt, an diesem Strand nicht gegeben.

Aber auch nicht solchen Sturm.

Der Leser ahnt jetzt schon, dass diese Reise keine pure Vergnügungsreise war, wie? Sie wurde von den drei Herren nach dem großen Luftangriff angetreten, als man wohl merken konnte: am Ende würde nichts übrig bleiben. Außer natürlich, was einer im Koffer verlagert hatte. [Hat der Leser eigentlich auch was verlagert? Kulturgüter? Sein Familiensilber? Oder auch nur seine Bettlaken, wie? Die Kissenbezüge, die Daunendecken, die Wäschegarnitur?]

Im Verlauf der Reise kamen sich dann die Koffer immer näher; sie rückten dichter und höher zusammen, denn immer neue Kofferfahrgäste wurden in den Wagen geworfen. Ja, leider wurden die Gäste ganz einfach übereinander geschleudert – der Goethekopf, dieses vornehme Erbstück, hatte bereits eine tiefe Schramme, die niemals mehr gutzumachen sein würde; er fühlte das auch selbst. Der Springinsfeld, ein Vulkanfiberkoffer, vertrug noch am ehesten einen Stoß, er war überhaupt eine gängige Mischung: sehr hübsch, ein bisschen gedankenlos, aber nicht ohne Gefühl. Jedes Mal, wenn ihn wieder was anstieß, begann er, einen Schlager zu trällern. Seine Lieblingsoper war Rigoletto, und daraus wieder die Arie: »O wie so trügerisch ...« Gott, na ja, er sang es nicht einmal schlecht. Abwechselnd sang er sehr gern was aus den Caprifischern – ich glaube, es kann nur die Stelle: »Bella, bella, bella Marie!« am Schluss gewesen sein.

Dieser Vulkanfiberkoffer reiste für eine Braut; für eine junge Stenotypistin in einem Wehrmachtsbetrieb. Ihre ganze Aussteuer war darin: die süße Wäsche, das weiße Kleid und der 3,50 m lange Schleier – im Grunde war es natürlich ein Unsinn, denn eine kirchliche Trauung würde sich Siegi verbeten haben, und eine germanische wollten die Eltern von Fräulein Erika nicht. »Eigentlich«, sagte der Springinsfeld zu dem Goethekopf, »hätte man für das Geld, das diese Marotte kostete, die Wäsche entweder etwas teurer, aus reiner Seide zum Beispiel und mit Handstickerei verziert, für Erika kaufen sollen, oder nachher eine romantische Reise mit dem KdF-Dampfer machen können – diesmal vielleicht nach den Balearen, denn die erste, wobei sich Siegi und Erika kennenlernten, ging bloß bis zur Loreley.«

So? Aber die Loreley, lieber Herr, sei doch sicher auch etwas Schönes, meinte der Schließkorb freundlich. Und Burg Stolzenfels am Rhein? Andenken gäbe es überall –

Worauf der Springinsfeld wieder sagte: das sei es ja gerade, warum Fräulein Erika heiraten wolle. Der Junge wäre nun schon ein Jahr alt, ein prachtvoller kleiner Panzer; nein wirklich: ein herziges Kind. Die alte Generation natürlich ... Er blickte den Schließkorb herausfordernd

an, aber weder die ehrliche Haut, selbstverständlich, noch der Goethekopf äußerten sich dazu; der Schließkorb, weil er dagegen war, der
Goethekopf, weil ihm das Thema nicht passte, obwohl er, wie er bei-
läufig sagte, ganz ohne Vorurteil war. Er fuhr in dem Auftrag eines
Herrn des Kultusministeriums, dessen Sammlung: Zeichnungen, Autogramme und kleinere Ölbilder, Teile von Originalpartituren, er an
den Verlagerungsort, nach Reichenbach, bringen sollte. In dem Goethekopf war gewissermaßen die ganze deutsche Kultur enthalten;
selbstverständlich rechnete er Nordfrankreich, Holland und Belgien
mit – was wir haben, geben wir nicht mehr her und nehmen noch
etwas dazu.

Von dem Schließkorb kann man hingegen nur sagen, dass nichts
Besonderes darin war. [Das alte Ehepaar, das ihn gepackt und ein
großes Vorlegeschloss an die Stange, die durch die Korbschlaufen lief,
mit Befriedigung angehängt hatte, meinte das allerdings nicht.] Oder
sind vielleicht zwölf Paar wollene Strümpfe, sind Bettlaken aus dem
schweren handgesponnenen Leinen von Frau Kabuschkes Mutter und
zwei Paradekissen, mit echten Klöppelspitzen garniert, etwa gar nichts
Besonderes, na? Dazu die beiden einfachen Hemden und die Kopfkis-
schen für den Sarg?

Der Goethekopf wurde aufgebrochen, als die letzten Deutschen mit
Sack und Pack aus dem Sudetengau flohen. Eine Luftmine fetzte ihn
auseinander; sie hatte natürlich nicht ihn allein und auch nicht nur
den Eisenbahnwagen, sondern die Rüstungswerke und mit den Werken
die Kriegsproduktion wie üblich treffen wollen. Doch wenn die Pro-
duktion an der Bahn, und die Schienen so ganz verdammt nahe an
den Kulturgütern liegen, kommt so was ab und zu vor. Die Partituren
flogen heraus, die Violinschlüssel und die Noten; die Autogramme;
ein Brief von van Gogh an seinen Bruder Theo und einer von Feuer-
bach. Auch ein Ausschnitt aus einem Gartenfest des französischen
Rokoko war dabei, und ein makabres Familienidyll des großen Malers
Goya – der, dem es früher gehört hat, behauptet, der Kerl in der linken
äußersten Ecke mit seiner Galgenphysignomie müsse ein Vorfahr des
kleinen Henkers in dem Lager Dora gewesen sein.

Der Springinsfeld wurde ausgeplündert. Zwei Lagerweiber rissen
sich hastig das weiße Kleid aus den Händen und rissen es dabei entzwei. Von der Braut, für welche das Kleid bestimmt war, ging später

ein ziemlich rührender Song in dem amerikanischen Sektor um; ich glaube, er heißt so:

Der Schleier kam an ein Kabarett
Und wurde dort verbraucht,
An Gonorrhöe starb die Braut im Bett
Oder weil sie zu viel geraucht.
Ihr Kind, verlagert im Warthegau,
Lebt heute hinter dem Don,
Doch eine gute russische Frau
Verpflegt's wie den eigenen Sohn.

Am besten hatte der Schließkorb noch alles überstanden, obwohl das Ehepaar, dem er gehörte, seinen Inhalt jetzt nicht mehr nötig hatte, denn es kam kurz nach der Belagerung der Reichshauptstadt ohne Sarg in die Erde, ohne Kisschen und Leichenhemd. Man erinnert sich vielleicht an das Bild aus einer Illustrierten, wo ein junger Bursche die Überreste eines gestorbenen Menschen in einen Pappkarton bettet – besser, man sieht nicht hin. Dieses Ehepaar also wurde an einer Straßenkreuzung begraben und später erst umgelegt. Ob es das gleiche Ehepaar ist, dem der Schließkorb zu eigen war, der mit dem Wachstuch, wird erst die Auferstehung der Toten mit Sicherheit ergeben.

Er selber aber, die ehrliche Haut, stand unberührt in dem Keller des Hauses, das dem Bruder des Klempners, dem Pfarrer Kabuschke in Oberschlesien, gehörte. Als es klar war, dass weder der Schließkorb zu diesem Herrn Kabuschke, noch Kabuschke zu seinem Schließkorb mit dem Vorlegeschloss würde kommen können, befahl der Pfarrer Kabuschke dem Küster, den Koffer aufzumachen. Der Küster, selbst eine ehrliche Haut, öffnete also den Koffer und nahm die Strümpfe, die Laken, die Leichenhemden heraus. In einem besonders dicken Paar Strümpfe war ein silbernes Sterbekreuz eingewickelt – der Corpus, daran [von Ebenholz] war schwarz wie die heilige Muttergottes in dem Wallfahrtsort Czenstochau. Dieses silberne Kreuz mit dem schwarzen Christus drehte der Küster sehr lange und ausführlich hin und her. Als er es endlich dem Pfarrer Kabuschke pflichtgemäß abgeliefert und auch die Laken, die Leichenhemden und die guten wollenen Strümpfe daneben gelegt hatte, ging der Küster, irgendwie sehr erleichtert und froh, dass er lebte, davon. Seine Hände pendelten in dem Takt seiner Schritte unbewusst mit – geöffnet, unbelastet und leer von fremden Eigentum ...

»Omnia mea mecum porto.«

Untergetaucht

»Ich war ja schließlich auch nur ein Mensch«, wiederholte die stattliche Frau immer wieder, die in der Bierschwemme an dem Bahnhof der kleinen Vorortsiedlung mit ihrer Freundin saß, und schob ihr das Möhrenkraut über die Pflaumen, damit nicht jeder gleich merken sollte: Die hatte sich was gegen Gummiband oder Strickwolle aus ihrem Garten geholt, und dem Mann ging das nachher ab. Ich spitzte natürlich sofort die Ohren, denn obwohl ich eigentlich nur da hockte, um den »Kartoffelexpress«, wie die Leute den großen Hamsterzug nennen, der um diese Zeit hier durch die Station fährt, vorüberklackern zu lassen – er ist nämlich so zum Brechen voll, dass ein Mann, der müd von der Arbeit kommt, sich nicht mehr hineinboxen kann – also, obwohl ich im Grund nur hier saß, um vor mich hinzudösen, fühlte ich doch: Da bahnte sich eine Geschichte an, die ich unbedingt hören musste; und Geschichten wie die: nichts Besonderes und je dämlicher, umso schöner, habe ich für mein Leben gern – man fühlt sich dann nicht so allein.

»Am schlimmsten war aber der Papagei«, sagte die stattliche Frau. »Nicht die grüne Lora, die wir jetzt haben, sondern der lausige Jacob, der sofort alles nachplappern konnte. ›Entweder dreh ich dem Vieh den Hals um, oder ich schmeiße die Elsie hinaus‹, sagte mein Mann, und er hatte ja recht – es blieb keine andere Wahl.«

»Wie lange«, fragte die Freundin [die mit dem Netz voll Karotten], »war sie eigentlich bei euch untergetaucht? Ich dachte damals, ihr wechselt euch ab – mal diese Bekannte, mal jene; aber im Grund keine länger als höchstens für eine Nacht.«

»Naja. Aber wie das immer so geht, wenn man mit mehreren Leuten zugleich etwas verabredet hat: Hernach ist der Erste ja doch der Dumme, an dem es hängen bleibt, und die anderen springen aus, wenn sie merken, dass das Ding nicht so einfach ist.«

»Der Dumme?«, fragte die Freundin zweifelnd und stützte den Ellbogen auf. »Das kannst du doch jetzt nicht mehr sagen, Frieda, wo du damals durch diese Elsie fast ins Kittchen gekommen bist. Schließlich muss man ja heute bedenken, dass dein Mann gerade war in die Partei frisch aufgenommen worden und Oberpostsekretär. Was glaubst du, wie wir dich alle im Stillen bewundert haben, dass du die Elsie versteckt hast, zu so was gehört doch Mut!«

»Mut? Na, ich weiß nicht. Was sollte ich machen, als sie plötzlich vor meiner Tür stand, die Handtasche über dem Stern? Es schneite und regnete durcheinander, sie war ganz nass und dazu ohne Hut; sie musste, wie sie so ging und stand, davongelaufen sein. ›Frieda‹, sagte sie, ›lass mich herein – nur für eine einzige Nacht. Am nächsten Morgen, ich schwöre es dir, gehe ich ganz bestimmt fort.‹ Sie war so aufgeregt, lieber Himmel, und von Weitem hörte ich schon meinen Mann mit dem Holzbein die Straße herunterklappern – ›aber nur für eine einzige Nacht‹, sage ich ganz mechanisch, ›und weil wir schon in der Schule zusammen gewesen sind.‹ Natürlich wusste ich ganz genau, dass sie nicht gehen würde; mein Karl, dieser seelensgute Mensch, sagte es schon am gleichen Abend, als er mir das Korsett aufhakte und dabei die letzte Fischbeinstange vor Aufregung zerbrach; es machte knack, und er sagte: ›Die geht nicht wieder fort.‹«

Beide Frauen, wie auf Verabredung, setzten ihr Bierglas an, bliesen den Schaum ab und tranken einen Schluck; hierauf, in einem einzigen Zug, das halbe Bierglas herunter, ich muss sagen, sie tranken nicht schlecht.

»Es war aber doch wohl recht gefährlich in eurer kleinen verklatschten Siedlung, wo jeder den anderen kennt«, meinte die Freundin mit den Karotten. »Und dazu noch der Papagei.«

»Aber nein. An sich war das gar nicht gefährlich. Wenn einer erst in der Laube drin war, kam keiner auf den Gedanken, dass sich da jemand versteckt hielt, der nicht dazugehörte. Wer uns besuchte, kam bloß bis zur Küche und höchstens noch in die Kammer dahinter; alles Übrige war erst angebaut worden – die Veranda, das Waschhaus, der erste Stock mit den zwei schrägen Kammern, das ganze Gewinkel schön schummrig und eng, überall stieß man an irgendwas an: an die Schnüre mit den Zwiebeln zum Beispiel, die zum Trocknen aufgehängt waren, und an die Wäscheleine. Auch mit der Verpflegung war es nicht schlimm, ich hatte Eingemachtes genug, der Garten gab so viel her. Nur der Papagei: ›Elsie‹ und wieder ›Elsie‹ – das ging so den ganzen Tag. Wenn es schellte, warf ich ein Tischtuch über den albernen Vogel, dann war er augenblicks still. Mein Mann, das brauche ich nicht zu sagen, ist wirklich seelensgut. Aber schließlich wurde er doch ganz verrückt, wenn der Papagei immerfort ›Elsie‹ sagte; er lernte eben im Handumdrehen, was er irgendwo aufgeschnappt hatte. Die Elsie, alles was recht ist, gab sich wirklich die größte Mühe, uns beiden gefällig zu sein – sie schälte Kartoffeln, machte den Abwasch und ging nicht an die Tür. Aber einmal, ich hatte das Licht in Gedanken schon angeknipst, ehe der Laden vorgelegt worden war, muss die Frau des Blockwalters, diese Bestie, sie von draußen gesehen haben. ›Ach‹, sagte ich ganz verdattert vor Schrecken, als sie mich fragte, ob ich Besuch in meiner Wohnküche hätte, ›das wird wohl meine Cousine aus Potsdam gewesen sein.‹ – ›So? Aber dann hat sie sich sehr verändert‹, sagt sie und sieht mich durchdringend an. ›Ja, es verändern sich viele jetzt in dieser schweren Zeit, Frau Geheinke‹, sage ich wieder. ›Und abends sind alle Katzen grau.‹«

»Von da ab war meine Ruhe fort; ganz fort wie weggeblasen. Immer sah ich die Elsie an, und je mehr ich die Elsie betrachtete, desto jüdischer kam sie mir vor. Eigentlich war das natürlich ein Unsinn, denn die Elsie war schlank und zierlich gewachsen, braunblonde Haare, die Nase gerade, wie mit dem Lineal gezogen, nur vorne etwas dick. Trotzdem, ich kann mir nicht helfen – es war wirklich ganz wie verhext. Sie merkte das auch. Sie merkte alles und fragte mich: ›Sehe ich eigentlich ›so‹ aus?‹ – ›Wie: so?‹, entgegnete ich wie ein Kind, das beim Lügen ertappt worden ist. ›Du weißt doch – meine Nase zum Beispiel?‹ – ›Nö. Deine Nase nicht.‹ – ›Und die Haare?‹ – ›Die auch nicht. So glatt wie sie sind.‹ – ›Ja, aber das Löckchen hinter dem Ohr‹, sagt die Elsie und sieht mich verzweifelt an, verzweifelt und böse und irr zugleich – ich glaube, hätte sie damals ein Messer zur Hand gehabt, sie hätte sich und mich niedergestochen, so schrecklich rabiat war sie. Schließlich, ich fühlte es immer mehr, hatte ich nicht nur ein Unterseeboot, sondern auch eine Irre im Haus, die sich ständig betrachtete. Als ich ihr endlich den Spiegel fortnahm, veränderte sich ihre Art zu gehen und nachher ihre Sprache – sie stieß mit der Zunge an, lispelte und wurde so ungeschickt, wie ich noch nie einen Menschen gesehen habe: Kein Glas war sicher in ihren Händen, jede Tasse schwappte beim Eingießen über, das Tischtuch war an dem Platz, wo sie saß, von Flecken übersät. Ich wäre sie gerne losgewesen, aber so wie ihre Verfassung war, hätt ich sie niemand mehr anbieten können – der Hilde nicht und der Trude nicht und erst recht nicht der Erika, welche sagte, sie könne auch ohne Stern und Sara jeden Menschen auf seine Urgroßmutter im Dunkeln abtaxieren. ›Ja?‹, fragte die Elsie. ›Ganz ohne Stern? Jede Wette gehe ich mit dir ein, dass man dich auch für ›so eine‹ hält, wenn du mit Stern auf die Straße marschierst – so dick und schwarz, wie du bist‹ Von diesem Tag an hassten wir uns. Wir hassten uns, wenn wir am Kochherd ohne Absicht zusammenstießen, und hassten uns, wenn wir zu gleicher Zeit nach dem Löffel im Suppentopf griffen. Selbst der Papagei merkte, wie wir uns hassten, und machte sich ein Vergnügen daraus, die Elsie in den Finger zu knappern, wenn sie ihn fütterte. Endlich wurde es selbst meinem Mann, diesem seelensguten Menschen, zu viel, und er sagte, sie müsse jetzt aus dem Haus – das war an demselben Tag, als die Stapo etwas gemerkt haben musste. Es schellte, ein Beamter stand draußen und fragte, ob sich hier eine Jüdin, namens Goldmann verborgen hätte. In diesem Augenblick trat sie vor und sagte mit vollkommen kalter Stimme: Jawohl, sie habe sich durch den Garten und die Hintertür in das Haus geschlichen, weil sie glaubte, das Haus stünde leer. Man nahm sie dann natürlich gleich mit, und auch ich wurde noch ein paarmal vernommen, ohne dass etwas dabei herauskam, denn die Elsie hielt vollkommen dicht. Aber das Tollste war doch die Geschichte mit dem Papagei, sage ich dir.«

»Wieso mit dem Papagei?«, fragte die Freundin, ohne begriffen zu haben.

»Na, mit dem Papagei, sage ich dir. Die Elsie nämlich, bevor sie sich stellte, hatte rasch noch das Tischtuch auf ihn geworfen, damit er nicht sprechen konnte. Denn hätte er ›Elsie‹ gerufen: na, weißt du – dann wären wir alle verratzt.«

»Hättest du selber daran gedacht?«, fragte die Freundin gespannt.

»Ich? Ich bin schließlich auch nur ein Mensch und hätte nichts andres im Sinn gehabt, als meinen Kopf zu retten. Aber Elsie – das war nicht die Elsie mehr, die ich versteckt hatte und gehasst und am liebsten fortgejagt hätte. Das war ein Erzengel aus der Bibel, und, wenn sie gesagt hätte: ›Die da ist es, diese Dicke, Schwarze da!‹ – Gott im Himmel, ich wäre mitgegangen!«

Na, solch'ne Behauptung, sagen Sie mal, kann selbst einem harmlosen Zuhörer schließlich über die Hutschnur gehen. »Und der Jacob?«, frage ich, trinke mein Bier aus und setze den Rucksack auf. »Lebt er noch, dieses verfluchte Vieh?«

»Nein«, sagte die dicke Frau ganz verblüfft und fasst von Neuem nach den Karotten, um die Pflaumen mit dem Karottenkraut ringsherum abzudecken. »Dem hat ein Russe wie einem Huhn die Kehle durchgeschnitten, als er ihn füttern wollte, und der Jacob nach seiner lausigen Art ihm in den Finger knappte.«

»Böse Sache«, sagte ich, »liebe Frau. Wo ist jetzt noch jemand, der Ihren Mann vor der Spruchkammer … [eigentlich wollte ich sagen: ›entlastet‹, doch hol es der Teufel, ich sagte, wie immer:] entlaust?«

Lydia

Heute weiß ich, warum die Küche meiner besten Freundin Roberta gegen Kriegsende immer mehr überfüllt von fremden Menschen war; diese saalartig große, verrückt gebaute, fünfeckige Küche am äußersten Zipfel der Wohnung, in der sich eine Hausfrau zutode laufen konnte – aber damals war mir diese Geschichte und das Kommen und Gehen von sämtlichen Mietern nur einfach unangenehm.

»Kannst du dich noch an die Scholle erinnern?«, fragte ich neulich. Sie sagte: »Nö.«

»Aber du weißt doch: die große Scholle, die die ganze Bratpfanne ausgefüllt hatte?«

Doch sie behauptete immer wieder, sich nicht erinnern zu können. Ich weiß es, weil es der letzte Fisch war, den ich vor dem Ende bekommen habe; ich hatte sogar meine eigene Pfanne und das Fett, um die Scholle darin zu braten, von Hause mitgebracht. Seit einigen Tagen gab es kein Gas mehr. Wir kochten auf Backsteinen, lieber Himmel; nicht lange danach, und wir liefen schon, über die Töpfe geduckt, von dem Garten ins Haus zurück, während die Flatterminen begannen, über uns hinzuschaukeln; es sah gefährlicher aus, als es in Wirklichkeit war …

Aber hier in der Küche stand noch ein Herd: ein großer richtiger Steinkohlenherd mit blanker Messingfassung; nicht dieses Kochen auf offener Flamme, das alle Töpfe verrußte; von dem Backen zu schweigen – die Scholle wäre ganz sicher im Handumdrehen verkohlt gewesen, das Fett in sie eingezogen ... und es war doch die letzte Fischzuteilung, die wir bekommen haben. Hinter mir, die an der Bratpfanne stand, standen die anderen Frauen, jede mit ihrem Kochtopf, und warteten, an die Reihe zu kommen; und die Kinder der Frauen, die mit den Kindern meiner Freundin Roberta spielen wollten, hingen an ihren Röcken. Es war tatsächlich der reine Wigwam; man musste, weil die Luft schon so schlecht war, die Tür zu dem Dienstbotenaufgang öffnen – natürlich strömten jetzt immer mehr Menschen über die Hintertreppe hinzu und versuchten, sich durch die Küche in die Praxisräume hineinzuschmuggeln, aber ich weiß keinen einzigen Fall, wo das gelungen wäre: nicht Robertas Mann, doch die Sprechstundenhilfe war gebaut wie ein Zerberus. Selbst der Soldat mit dem Arm in der Binde kam nicht weiter als bis zu dem Durchgang zu dem Berliner Zimmer; allerdings war er total betrunken und stieß deshalb überall an; er stolperte über Robertas Jungen und warf seinen Laufstall um.

»Ja«, sagte Roberta, »an diesen Kerl erinnere ich mich noch. Mit ihm zusammen waren wir achtzehn Menschen, die Contra nicht mitgezählt.«

Die Contra war eine geschiedene Frau, die wir so nannten, weil sie wie keine von uns allen »dagegen« war; sie lief immer wieder aus unserer Küche in ihre Wohnung herunter, um den englischen Sender abzuhören, und kam dann wieder herauf. Herunter, herauf wie eine Quecksilbersäule; wir waren schon dran gewöhnt. Diese Contra ist denn auch bei der Beschießung als erste umgekommen, weil sie immerzu weglaufen musste – sie wäre also, wenn wir sie mitgezählt hätten, die Neunzehnte gewesen. Aber das taten wir nicht.

»Wenn du dich an den Soldaten erinnerst«, sagte ich zu Roberta, »musst du dich auch an die Scholle erinnern.«

»Nö, an die Scholle nicht.«

»Auch nicht, dass die Contra so wütend wurde, weil er ständig von einer Waffe erzählte, die uns schließlich noch retten würde?«

»Doch. Aber diese Geschichte erzählte er nicht der Contra. Das war ja das Komische. Er erzählte sie Lydia, ohne zu ahnen, dass Lydia eine

Ukrainerin war, und wollte mit seiner Geschichte Furore bei ihr machen.«

Lydia! Kaum war dieser Name gefallen, als ich mit einem Mal wieder wusste, was die Menschen aus allen Wohnungsetagen in der Küche Robertas zu finden hofften, ohne, dass sie es ahnten. Jetzt ist sie wohl schon lange wieder in Mariupol, die schöne Lydia, die fleißige Lydia mit den hohen polierten Backenknochen, dem geduldigen Schoß, den der kleine Thomas, Robertas Junge, so liebte, und den starken, unermüdlichen Händen, die eigentlich immer, wenn ich sie ansah, Kartoffeln und Äpfel schälten ...

»Also Lydia«, sagte ich.

»Ja, natürlich. Aber je mehr der Betrunkene aufschnitt, desto weniger sah sie ihn an. Na, schließlich überschlug er sich reichlich, er wollte um jeden Preis Eindruck machen, aber Lydia hob nicht einmal die Augen von dem Kartoffelmesser.«

»Doch«, sagte ich plötzlich. »Nun fällt es mir auch wieder ein. Sie hob gerade die Augen, als der Flaksender anfing, zu gehen – das war in der gleichen Sekunde, als ich mit deinem Bratenwender die Scholle herumklatschte, und die Hälfte neben die Pfanne fiel. Kurz darauf gab es Alarm.«

Weiter sagte ich nichts zu Roberta; es wäre auch sinnlos gewesen. Sie wurde nicht gern an Lydia erinnert – nicht, weil sie sie schlecht behandelt hätte. Im Gegenteil. Sie liebt sie noch heute und ist böse, dass sie gegangen ist … so böse, wie sie jedes Mal wurde, wenn Lydia auszubrechen versuchte, oder aber vor Heimweh die ganze Nacht über schrie. Zum letzten Mal war sie durchgebrannt, als wir glaubten, dass die Russen bereits im Januar Berlin erobern würden; die Küche stand damals voll von Gefäßen mit abgekochtem Tee, denn wir dachten – alle dachten dasselbe – sie seien in drei Tagen hier. Damals also war Lydia von Neuem durchgegangen, aber nur, um draußen in Friedrichshagen das Ohr auf die Erde zu legen. Dann kam sie wieder zurück. Roberta fragte natürlich, was sie gehört habe; Lydias Gesicht war wie zersprungen vor Glück.

»Ich kann es nicht richtig ausdrücken, Mammi. [So nannte sie meine Freundin.] Aber ich fühle es. Die Erde hat telegrafiert.« Man wird lachen bei diesem technischen Ausdruck, aber Lydia, welche in Mariupol eine Physikstudentin gewesen und nun zum Kartoffelschälen hierher geschleppt worden war, wählte ihre Vergleiche immer aus dieser Welt. Dann ging sie wieder ganz ruhig in die Küche und setzte sich an die Arbeit nieder – sie schälte nämlich nicht gern im Stehen – und je mehr sich die Sache dem Ende zuneigte, desto mehr Menschen sammelten sich in dieser großen offenen Küche, deren Mittelpunkt Lydia war. Sie sprach kein Wort, sie schälte die Äpfel und die Kartoffeln so hauchdünn ab, dass man glaubte, es wäre Seidenpapier, was sich vom Messer löste. Nur, wenn der Flaksender synkopisierte, hob sie die Augenlider, und ein Leuchten wie Sonnenaufgang flog über ihr Gesicht; wahrscheinlich hatte dann nicht bloß die Erde, sondern auch Luft und Wasser und ihr eigenes Herz etwas telegrafiert, was ihr allein bestimmt war – wenigstens schien es so.

Jetzt ist die schöne Lydia sicher schon lange wieder zu Hause in Mariupol. Auf dem Bahnhof Charlottenburg sah ich sie neulich mit vielen anderen Mädchen; die Eisenbahnwagen waren mit Fähnchen und grünen Girlanden geschmückt. Die Mädchen sangen. Oh, wie sie sangen! Wenn man die Augen schloss, konnte man glauben, dieser Gesang sei ein großer Sturm, der über die Ebene käme – über Felder mit Mais und Weizen und Roggen, durch die die Traktoren rollten. »Lydia!«, schrie ich. »Lydia, leb wohl! Lass es dir gut gehen, Lydia!« Und ich winkte mit meinem Taschentuch, bis der Zug in der Ferne verschwunden war; aber noch eine Weile länger, als ich mit meinen Augen den letzten Wagen verfolgen konnte, hörte ich den Gesang ...

Der Erstkommuniontag

Es fing damit an, dass das Kind an der Haustür noch einmal umkehren musste, um den wärmeren Mantel zu holen, der Himmel war grau, die Luft voller Schnee, aber die Wolken hingen sehr hoch, und der Wind, der inzwischen aufkam, würde sie möglicherweise rasch auseinandertreiben.

»Du musst dich nicht kränken«, sagte die Mutter, als sie den alten, vertragenen Mantel mit dem abgeschabten Kaninchenpelz von dem Haken herunternahm. »Erstkommunionkinder haben immer schlechtes Wetter an ihrem Tag. Das war auch schon bei mir ganz genau so, als ich noch klein war wie du.« Sie seufzte ein wenig und dachte: »Gar nichts war so. Natürlich das Wetter. Aber sonst –.« Das Kind schien nicht hinzuhören, die Mutter sagte rasch und ermunternd: »Ein Glück, dass ich dir das Schottenkleidchen mit den langen Ärmeln gegeben habe; das weiße hast du dann nachmittags zum Kaffeetrinken an.«

»Ja – wenn wir die Torte essen«, erwiderte das Kind. »Meine Torte.«

»Denke an alles«, ermahnte die Mutter noch einmal. »Du weißt doch –«

»Ich weiß: an die Eltern«, wiederholte das Kind gehorsam. »An Onkel Erich in Kanada und meine tote Oma; dass Vati nicht mehr zum Volkssturm muss, und dass die Russen bald hier sind –«

»Um Gottes willen, bist du verrückt?«, rief die Mutter ärgerlich aus. Sie nahm das Kind an der Hand und ging mit ihm aus der Tür. »Wie kommst du darauf? Wenn dich einer gehört hat«, sagte sie ganz verwirrt. Aber eigentlich war sie nicht böse darüber. Angela fühlte es ganz genau und sagte mit einem verschmitzten Lächeln: »Ich denke es doch bloß. Ich sage es nur in meinem Herzen, wenn ich den Heiland empfangen habe …« Dieser Satz kam ganz nüchtern und kindlich an der Gefühlsgrenze ihrer sieben mageren Mädchenjahre heraus und überschritt diese Grenze mit keinem einzigen Wort.

»Vergiss nicht, gleich nach der Kommunion das Gesicht in die Hände zu legen«, fing die Mutter von Neuem an. »Wir mussten viel mehr behalten als du, wir haben tagelang eingeübt, wie man hin- und zurückgeht, mit Kerzen und ohne, rechtsum und linksum, wer da nicht achtgab, brachte die Reihe durcheinander und störte die Feierlichkeit.«

»Und bekam keine Torte zu essen?«, fragte das Kind gespannt.

»Doch«, sagte die Mutter, leicht gereizt. »Aber wir haben an diesem Tag wirklich an andere Dinge als an die Torte gedacht.«

»Hattet ihr auch eine Gittertorte?«

»Angela«, sagte die Mutter gequält, »nun halte aber den Mund.«

»Also gut. Ich denke an alles und lege auch das Gesicht in die Hände, wenn ich wieder an meinem Platz bin«, sagte die Kleine ernst. »Sitzt mein Kränzchen gerade?«

Natürlich vergaß sie hinterher doch, das Gesicht in die Hände zu legen. Sie war zu glücklich – ein Herz voller Glück, ein Mund voller Süßigkeit. Der reine, zarte Geschmack der Hostie, die sich auf ihre rosige Zunge wie auf ein Magnolienblatt legte … das Gefühl der Bedeutung des Augenblicks und ein plötzlich erwachtes Bewusstsein ihrer gesteigerten Größe ... ließ das Kind alles andre vergessen ... Dazu kam, dass jetzt wirklich die Sonne durchdrang und den golden flimmernden Grund der Apsis mit der großen Flügeltaube erzittern und plötzlich aufbrennen ließ. An der Abendmahlbank war ein Kommen und Gehen von älteren Männern und Frauen, Schulkindern und Soldaten – obwohl es ein gewöhnlicher Werktag mit stiller Messe war, drängten die Menschen in immer größerer Anzahl hinzu und flüchteten aus der Nähe des Todes in den Schutz des Lebendigen.

Man hatte Angela angestarrt und dann verständnisvoll ihren Kranz und die geschmückte Kerze betrachtet, die in dem Halter vor ihrem Platz stand: »Siehst du«, flüsterte eine Frau und neigte sich zu dem Feldwebel hin, der mit starrem Ausdruck neben ihr kniete, »das ist eins von den Kindern, welche noch rasch, bevor wir alle verloren sind, zur Kommunion geführt werden.« Der Mann zuckte unwillig mit den Schultern und wollte nichts davon hören; die Frau dachte trotzig: »Nun, etwa nicht? Wer weiß, ob wir alle den nächsten Tag oder die Nacht erleben!«

Nach der Messe wäre das Kind am liebsten gleich wieder nach Hause gegangen, aber dann kam noch der alte Pfarrer und gratulierte ihm. »Bleibe immer so brav wie heute«, sagte er väterlich. »Und sei heut so vergnügt, wie du kannst.« Angela lachte ganz unvermittelt, obwohl man noch in der Kirche war, der Pfarrer bückte sich tief herunter und fragte geheimnistuerisch: »Hat die Mutter auch Kuchen gebacken?«

»Eine Gittertorte«, sagte das Kind und wurde rot vor Glück.

Die Gittertorte wurde erst später, als die wenigen Gäste am Nachmittag kamen, feierlich aufgeschnitten; das erste Stück bekam Angela, dann wurde sie Tante Renate, die immerfort weinte, angeboten; zuletzt nahm die Mutter davon.

»Freust du dich?«, hörte das Kind immer wieder; doch weil die Erwachsenen dabei seufzten, obwohl sie den Mund zum Lächeln verzogen, dachte die Kleine, es wäre vielleicht nicht recht, sich zu freuen, oder man zeigte es besser nicht, und gab keine Antwort mehr.

»Hörst du nicht, Angela? Ob du dich freust?«

»Doch.«

»Sehr?«

»O ja.«

»Und worüber am meisten?«

»Über – alles«, sagte sie diplomatisch und fügte dann in dem Bewusstsein, sich höflich zeigen zu müssen, hinzu: »Darüber, dass heut kein Alarm ist.«

»Sie hat recht. Heut war wirklich noch kein Alarm. Hast du darum gebetet?«

»Nein.«

»Dann kann er also noch kommen.«

»Nein.«

»Natürlich kann er.«

»Er kommt nicht.«

»Und wenn er doch kommt?«

»Dann ist es nicht schlimm. Dann beschützt uns der liebe Gott.«

»Iss doch«, sagte die Mutter nervös. »Oder schmeckt dir die Torte nicht? Ich habe sie nämlich mit Lebertran gebacken«, erläuterte sie verlegen. »Aber man merkt es kaum.«

Sofort waren alle Erwachsenen wieder ganz unter sich, das Kind nahm sein Tellerchen, trug es sorgsam zu dem niedrigen Rauchtisch herüber und schob einen Hocker an.

»Mit Lebertran? Nein, wahrhaftig –«

[Aber es kommt kein Alarm. Wenigstens nicht, bis die Torte gegessen ist, dachte das Kind. Nun streckte es vorsichtig einen Finger aus, tunkte ihn in den Belag aus roter Kirschmarmelade und leckte die Spitze ab.]

»Man muss den Tran nur ausglühen lassen –«

[Nein. Sie merkten es wirklich nicht.]

»Willst du noch ein Stück Torte?«

»Ja.«

»Bitte, heißt das.«

[Wieso denn: bitte? Die Torte gehörte ihr doch.]

»Bitte.«

»Siehst du! Und wenn du noch eines willst –?«

»Nein, es soll etwas übrig bleiben.«

Alle Besucher lachten, es wurden Likörgläschen hingestellt: »Von der Weihnachtszuteilung, wie?« Das Gespräch wurde lebhaft, und Angela hörte die Mutter sagen: »Am Abend gab es dann kalten Braten,

Kartoffelsalat mit Mayonnaise und Bier oder noch einmal Wein. Tante Klara war so entsetzlich betrunken, dass sie anfing, Schlager zu singen – ich lag natürlich schon lang im Bett und hörte es durch die Wand. Meine Großmutter war ganz krank vor Ärger, und ich« – ihre Stimme schwankte – »weinte mich in den Schlaf.«

»Ja«, sagte Tante Renate hierauf. »Wir waren als Kinder sehr einsam. Heute weiß man das – Freund und Jung – nun war es schon einerlei, ob sie alle Botokudisch oder Chinesisch sprachen, die Kleine verstand nichts mehr.«

Kurze Zeit darauf ging das Telefon, die Mutter kam von dem Apparat mit verklärtem Gesicht zurück, jetzt war sie nicht älter als Angela, und Angela schämte sich, dass Tante Martha und Tante Renate merkten, wie klein die Mutter noch war. »Er hat den Luftschutzdienst abgeschoben, gleich wird er bei uns sein«, sagte sie – und zu dem Kind gewendet: »Freust du dich? Vati kommt her und ist da, wenn Alarm sein sollte.«

»Aber es kommt kein Alarm«, sagte Angela eigensinnig. –

Natürlich gab es trotzdem Alarm, genau um die Stunde wie immer; nur, dass sich die Flugzeuge diesmal rascher als sonst zu nähern schienen, der erste Bombenabwurf sehr nahe, der nächste noch näher zu hören war, und der dritte schon von der Kellerdecke den Kalk herunterfegte. Der Vater hatte das Kind auf dem Schoß und sah zu der Mutter herüber, beide schienen das Gleiche zu denken, plötzlich glaubte das Kind zu verstehen und sagte vorwurfsvoll: »Meine Torte! Ihr habt die Torte vergessen. Wenn jetzt eine Bombe daraufällt –«

Wieder hatte die Mutter denselben gequälten Ton in der Stimme wie heute Morgen und sagte genauso: »Nun halte aber den Mund.«

»Lass sie doch«, sagte der Vater mit ausgetrockneter Kehle. »Ihr kann heute nichts mehr passieren.«

»Nein. Heut ist mein Erstkommuniontag«, sagte das Kind erfreut. Seine Worte gingen in einem Einschlag von ungewöhnlicher Härte unter, der Boden bebte, die Balken knirschten, die ganze Luft war voll Staub. Vater und Mutter legten jetzt beide einen Arm um die Schultern des Kindes. »Mein Engel«, sagte die Mutter leise mit flehentlichem Ausdruck; als Antwort nahm Angela ihre Hand [die andere, welche schlaff in dem Schoß lag] und schloss das eigene Pfötchen darüber; der Vater griff hinter sich nach dem Mundtuch und band es Angela vor das Gesicht: »Tief atmen … sei ruhig …« [Was meinte er nur? Sie redete doch nicht.] Schlag, Schlag um Schlag. Nun begannen sie, den 90. Psalm zu beten. Angela kannte ihn und sprach mit, die Flugzeuge schienen das ganze Haus mit ihrem Gebrumm zu bedecken …

[Fittichen … Fittichen schirmt er dich … und unter seinen Flügeln … nicht brauchst du dich zu fürchten vor dem Graun der Nacht … dir wird kein Unheil widerfahren, noch eine Plage deinem Zelte nahen … so wirst du über Nattern schreiten … Schlangen … wirst Löwen … Drachen … rette ihn … beschirme ihn … weil er mich kennt. Ich will ihn sättigen mit langem Leben …]

»Das nimmt kein Ende.«

»Doch. Hörst du nicht, dass die Flugzeuge sich entfernen? Dieser Einschlag war weiter fort«, sagte der Vater laut.

Noch ehe entwarnt wurde, hörten sie Stimmen am Eingang der Kellertreppe. »Lebt ihr da unten noch? Seid ihr noch da? Das obere Stockwerk ist eingestürzt; wir helfen euch heraus. Zuerst die Kleine. Komm, Angela, fasse mich um den Hals! Hast du Angst gehabt?«

»Nein.«

»Gib acht, hier liegt Glas. Der Küchenanbau ist ganz geblieben, hier ist es hell wie am Tag.«

Der Nachbar setzte die Kleine ab und wandte sich wieder um. Das Licht des höher steigenden Mondes vermischte sich mit dem fahlroten Glanz riesiger Feuerbrünste und erfüllte den ganzen Raum.

»Die Torte –. Da steht sie noch«, sagte das Kind. »Man braucht nur den Staub abzublasen –.«

Jetzt geht die Welt unter

Als die Leute aus ihrem Bunker kamen, lag der fremde Hund mit dem fahlgrauen Fell immer noch in der Schlafzimmerecke und war nicht fortzukriegen.

»Wie lange liegt er denn jetzt schon da?«, fragte der Großvater ärgerlich und trat mit dem Fuß nach ihm.

»Seit ewig. Seit dem Beginn der Beschießung. Vor über zweieinhalb Tagen ist er uns zugelaufen«, sagte die junge Frau, »und nun werden wir ihn nicht mehr los. Aus der Siedlung ist er bestimmt nicht gekommen«, fügte sie noch hinzu.

»Nicht loswerden? Na, dann lass mich mal machen«, sagte der alte Mann. Er bückte sich zu dem Hund herunter und redete ihm zu. »Wie heißt er denn?«

»Woher soll ich das wissen?«, sagte die Frau gereizt. »Ich versteh nicht die Hundesprache.«

»Tell heißt er«, rief der älteste Junge. »Tell oder Tyras.«

»Wieso denn: oder? Heißt er nun Tell oder Tyras? Wie kommst du bloß darauf?«, fragte der Großvater ihn.

»Nur so.«

»Oder Struppi! Gelt, er heißt Struppi?«, krähte das jüngste Mädchen und nahm vor Begeisterung, auch was zu wissen, den Finger aus der Nase.

»Struppi! Du bist wohl –«, fauchte der Bruder.

»Man muss es eben mit allem probieren«, meinte die junge Frau. Inzwischen hatte der alte Mann sein Zureden fortgesetzt. Der Hund, wie vollkommen taub und gefühllos, schien gar nicht hinzuhören, obwohl seine scharfen, gespitzten Ohren steil aufgerichtet waren. Er zitterte. Unaufhörlich zitternd, lag er in seiner Ecke; wäre das Zittern nicht gewesen, so hätte man glauben können, der Hund sei ausgestopft. Mit ihm zusammen zitterten, bebten und klirrten die Fensterscheiben.

»Hört ihr – jetzt kommt es schon wieder näher«, sagte die Tante der jungen Frau. »Das ist schwere Artillerie. Jetzt liegt der Beschuss wahrscheinlich schon auf der Innenstadt.«

»Lass ihn. Das kommt und geht hin und her. Den Bahnhof Köpenick hat der Volkssturm dem Iwan bereits wieder abgenommen«, sagte eine Cousine.

»Wem abgenommen? Dem Iwan?«, fragte der alte Mann. In diesem Augenblick stieß der Hund ein kurzes Gewinsel aus. »Habt ihr's gehört? Jetzt weiß ich, woher die Töle kommt. Das ist ein Truppenhund.«

»Was heißt das – ein Truppenhund?«, fragte die Tante.

»Ein Hund, der der Truppe gehört hat und durchgegangen ist«, sagte der alte Mann.

»Vielleicht ein Hund der Entsatzarmee?«, fragte rasch die Cousine dazwischen und blickte im Kreis herum: Bin ich nicht rasch von Begriff?

»Entsatzarmee – nee. Das ist doch bloß Bluff«, sagte der alte Mann.

»Was ist das, Großvater?«

»Das ist Bluff. Das ist weiter gar nichts als Bluff.«

»So? Bluff?«, schrie die Cousine empört. »Dann ist der Hund also auch bloß Bluff? Er ist vielleicht überhaupt nicht da? Er sieht bloß aus wie ein Hund?«

»Sei still, Adele«, sagte die Tante. »Rege dich doch nicht auf. Hauptsache, er kommt fort.«

»Wer?«, fragte der Junge.

»Wer? Wer? Wer?«, schalt seine Mutter. »Du hörst es doch – der Hund!«

»Der geht nicht«, piepste das kleine Mädchen.

»Na wart mal, ich krieg ihn schon fort«, knurrte der alte Mann. Nun bückte er sich aufs Neue herunter und packte den Hund am Halsband, um ihn emporzuziehen. Der Hund ließ sich fallen. »Verdammtes Vieh!« Der Alte zog ihn rücksichtslos weiter. Das miserable Geräusch der schleifenden Hundebeine hörte sich widerlich an. Indessen rauschte es durch die Luft, ein paar Bomben schlugen irgendwo ein.

»Lass ihn liegen«, sagte die junge Frau mit ängstlichem Gesicht. »Wir sind wieder einmal zu früh aus unserem Bunker gegangen.«

Sie fasste die Kinder fest an der Hand, die Tante und die Cousine stiegen gleichfalls über den Hund hinweg, der Großvater sagte, es sei schon besser, überhaupt erst nicht mehr nach oben zu gehen, sondern im Bunker zu bleiben: »Wofür ist der Bunker denn da?«

Natürlich gingen die Leute hinterher doch noch ins Haus. »Der Hund ist fort«, rief die junge Frau.

»Nein, sieh doch her, er liegt immer noch da. Er ist in die Ecke zurückgekrochen. Den werden wir nicht so rasch los«, sagte der alte Mann. Plötzlich schlug er mit seinem Stock auf die winselnde Töle ein. Er drosch und drosch, das erschrockene Tier duckte den Kopf auf die Pfoten und rutschte von Zeit zu Zeit hin und her, aber es war ganz deutlich: So war es nicht fortzukriegen. »Ich schlage ihm noch die Beine entzwei und werfe ihn dann auf den Mist«, sagte der Alte keuchend und stützte sich auf den Stock. Seine Augen waren blutunterlaufen, die Hände bebten vor Wut.

»Warum denn?«, schrie die Tante erbost. »Warum legt ihr ihm denn kein Futter hin und lockt ihn aus dem Haus?«

»Recht hat sie«, sagte die junge Frau. »Ich geh ein Stück Salzfleisch holen.« Auch das war vergebens. Er schnupperte nur und drehte den Kopf wieder ab.

»Ob er krank ist?«, fragte die Tante besorgt. »Vielleicht hat er Tollwut?«

»Nee, er hat Angst. Ganz hundsgemeine Angst«, sagte der alte Mann. »Wahrscheinlich kann er das Schießen nicht leiden.«

»Als Truppenhund kann er das Schießen nicht leiden?«

»Gerade deswegen.«

»Wieso: deswegen?«

»Lass den Großvater doch in Ruhe«, sagte die junge Frau zu der Tante. »Siehst du nicht, wie er sich ärgert über dein dummes Geschwätz?«

»So – dummes Geschwätz?«, rief die Tante erbittert. »Ich mache dummes Geschwätz?«

»Du hast schon dein Leben lang weiter gar nichts als dummes Geschwätz gemacht«, sagte der Großvater bös. »Du und deine Tochter Adele –.«

»Hörst du es, Adi? Diese Gemeinheit!«

»Das rührt mich nicht«, sagte Adele kalt. »Das ist nichts weiter als Wut, weil die Entsatzarmee kommt.« Gleich darauf keifte die ganze Familie besinnungslos durcheinander; das Tier in der Ecke schien von dem Lärm behaglich berührt zu werden, es zog sich in sich zusammen und wedelte mit dem Schwanz. »Na, bitte«, sagte Adele plötzlich. »Das Schießen hat aufgehört.«

»Nachmittags hört es immer auf«, sagte eines der Kinder. »Am Abend fängt es dann wieder an.«

»Vielleicht auch nicht. Vielleicht niemals mehr«, meinte Adele schlau.

Am Abend war es bei Weitem stärker, als es vorher gewesen war.

Die Kinder spielten »Einschlag« und »Abschuss«. [Das war ein Abschuss – ein Einschlag. Abschuss. Nein, Einschlag. Wo soll denn ein Abschuss herkommen, sag? Na, von der Entsatzarmee.]

Am nächsten Morgen war das Getöse zu einem Inferno angewachsen. Neben dem Bunker hatte sich jetzt ein deutsches Geschütz postiert und schoss wie verrückt nach dem Feind. »Die sind bald alle mit ihrem Pulver«, sagte der Großvater aufgekratzt. »Dann gehen wir in das Haus.«

»Ach, lass doch«, gab ihm die junge Frau achselzuckend zurück. »Der Hund wird verhungert sein oder vor Angst vollkommen übergeschnappt. Das Zimmer ist nun doch schon versaut –«

»Ich will ihn verrecken sehen«, sagte der alte Mann.

Als endlich das Geschütz wieder abzog, gingen sie alle ins Haus.

»Wo ist der Hund denn?«, fragte Adele. »Wo ist der Hund denn geblieben?«

Er war nicht mehr da. In der Ecke nicht und auch nicht unter dem Bett.

»Ich hatte die Tür doch abgeschlossen, bevor wir hinuntergingen«, sagte die junge Frau.

»Und wennschon! Wunderst du dich darüber?«, fragte der Großvater hart. »So was geht durch das Schlüsselloch ...« Die Leute blickten einander an, ohne ein Wort zu sprechen; das Klirren der Scheiben knallte allen wie Peitschenschlag um die Ohren, die Luft war von Flugzeuggebrumm erfüllt, ab und zu hörte man näher und ferner das Schießen der fahrbaren Flak auf der Avus – dann schlugen die Bomben ein. Als der Staub sich durch die zerbrochenen Scheiben wieder verzogen hatte, sagte der Alte: »Nun ist aber Schluss. Nun bleiben wir in dem Bunker, bis –«

Er ging voran, die anderen folgten. Zuletzt kam Adele, doch auf der Schwelle sah sie einmal um. »Was hast du denn, komm doch!«, sagte die Tante. »Jetzt wird es gefährlich. Jetzt wird es schlimm.«

»Ja«, gab Adele mechanisch zurück und stolperte aus dem Haus.

»Jetzt geht die Welt unter«, sagte sie ... eigentlich mehr zu sich selbst.

Nichts Neues

Der Spreetunnel, den die Verrückten bei der Eroberung vor ein paar Wochen mit Wasser hatten voll laufen lassen, war noch nicht leergepumpt. Die Untergrundbahn endete hier und fuhr erst jenseits der Brücke weiter, alle Leute gingen ein Stück zu Fuß, ihre Sohlen machten klappklapp und bumbum, wenn sie über den Holzsteg liefen. Alle zwanzig Minuten spuckte der Schacht die Menschenmassen aus, welche, dicht aneinandergepresst, über die Brücke kamen. Der Weg war auf keinen Fall zu verfehlen, alle strömten in einer Richtung, und einer schob den anderen weiter, ob der Betreffende – Los! Los! Los! – es wollte oder nicht.

Ein älterer Mann in schwarzem Gehrock mit steifem Stehkragenröllchen wurde rechts und links angepresst; der zur Linken musste ihm wohl bekannt sein, der zur Rechten war ein entlassener Landser in verschossenen Uniformfetzen.

[Was erzählte der Alte da? Hingerichtet? Und erst beim dritten Schlag fiel der Kopf, weil die Henker betrunken waren?]

»Es war das Übliche. Erst das Verhör, dann die Folter der Knochenbiegung. Geben Sie acht, das ist nämlich so ...«

[Zum Donnerwetter, was hat mich der Dicke nach der anderen Seite zu drängen? Knochenbiegung, sagte er eben. Das ist wohl so ähnlich wie ...]

»Also man bindet die beiden Knie, die großen Zehen, ganz fest zusammen und zieht dann zwischen den Füßen zwei dicke Prügel hindurch; hierauf dreht man den einen zur Rechten, den andern zur Linken herüber, bis die Knochen sich wie ein Bogen krümmen und nachher ihre natürliche Lage zurückzugewinnen suchen. Dann fängt es von vorne an.«

[Das klingt nach Buchenwald. Sagte der Alte nicht eben Buchenwald? Man hört nichts vor lauter Geklapper. Was denn ... was ist denn da vorne los ... jetzt bleiben sie stehen. Na, einerlei. Mir ist es einerlei. Ich habe Zeit ... ich habe ja Zeit ... mir kann es einerlei sein.]

»Die Sache war im Jahr dreiundvierzig. Der Prozess fing natürlich schon früher an und zog sich bis fünfundvierzig. Es war ein großer Umkreis von Menschen; der Richter glaubte, wenn einmal die erste, die wichtigste Masche gefallen wäre, wäre es einfach, das ganze Gewebe mit einem Schlag zu zerreißen.«

[Nein, Buchenwald meinte der Alte nicht. Es hört sich eher an wie der Prozess ..., na, wie war das doch gleich – der große Prozess – jetzt geht es wieder weiter ...]

»... Johannes Pak und Agathe Ri – –«

[Scholl hießen sie. Die Geschwister Scholl. Nun weiß ich es wieder genau.]

»Die Akten über dieses Verhör sind uns glücklicherweise erhalten geblieben, und in dem ›Tagebuch der Verfolgung‹ ist Wort für Wort festgehalten. Johannes Pak sagte damals, sein Vater sei wegen der gleichen Sache enthauptet und sein Onkel aufgehängt worden.«

[Falsch. Falsch geraten. Auf keinen Fall war das der Studentenprozess. Nein. Aber der Stettiner Prozess ... vielleicht der Stettiner Prozess – oder nicht? Da hört die Brücke auf. Gott sei Dank. Jetzt kann man besser verstehen. Jetzt geht es am Wasser entlang.]

»Das Gefängnis war schrecklich. Ratten und Läuse. Verfaulte Strohsäcke. Nichts zu trinken. Die Leute wurden verrückt vor Durst, und täglich brachte man neue Menschen: Männer, Frauen und Kinder, zu den anderen Opfern hinzu. Der Mangel an Platz war vielleicht das Schlimmste. Es brachen Seuchen aus, denn die Toten wurden erst fortgeschafft, wenn der Gestank den Gefängniswärtern am Ende zu unerträglich wurde.«

[Auschwitz. Ich bin der Ansicht, dass Auschwitz mit dieser Erzählung gemeint ist.]

»Doch keiner verriet seine Sache damals. Ihr Glaube war unerschütterlich, ihre Hoffnung von keinem Zweifel beschattet, ihre Liebe so vollkommen, dass weder Drohung sie schrecken, noch Versprechungen sie verführen konnten, die Freunde preiszugeben. Schließlich war über die ganze Provinz ein dichtes Netz von Personen und Nachrichten gebreitet, eine Verständigung ohnegleichen, die auch Ausländer einbezog.«

[Was für ein Weg! Überhaupt kein Weg: Ein GeRölle, hoppla, mit Schlaglöchern, Brocken, verbogenen Eisenteilen ... und jetzt macht der Wind ihn noch unsichtbar, weil er Staub in die Augen schmeißt.]

»Das Ende war natürlich der Tod nach unausdenklichen Qualen. Verhungert, gewürgt, an den Haaren oder, kopfabwärts hängend, mit Ochsenziemern geschlagen, bis das Fleisch von den Knochen herunterging – es gab keine Marter, die diese Menschen nicht angewendet haben. Und trotzdem, glauben Sie mir, war das Ende ebenso sehr ein Sieg, wie eine Niederlage.«

[Er hat recht. Überhaupt: Was heißt Sieg, und was heißt Niederlage? Wahrscheinlich bedeutet es ein und dasselbe, je nachdem, was man draus macht ...]

Nun war der Menschenstrom im Begriff, auseinander zu drängen, sich aufzufächern und wie Wasser aus einem platzenden Rohre hierhin und dorthin zu laufen. Er entfaltete sich, ein Teil der Menschen hastete rechts und links weiter; andere wieder hatten es eilig, sich in den Schacht der Untergrundbahn [wie von der ersten in eine zweite und also immer wieder aufs Neue von Katastrophe in Katastrophe, und von Finsternis, Nacht und Schrecken in Schrecken und Nacht] zu stürzen – getrieben wie Selbstmörder, welche fürchten, am Ende gar noch verhindert oder angehalten zu werden. Von unten herauf kam der Gegenstrom mit neuen Passagieren: neue Männer in schwarzen und feldgrauen Röcken, neue Frauen, Dicke und Dünne, die sich eng aneinanderpressten. Alles fing wieder von vorne an: Die halben Gespräche, das Ohrenspitzen und Sich-auf-die-Füße-treten. Der Alte und sein Begleiter waren am Eingang der Untergrund stehen geblieben, der Jüngere hatte den Hut in der Hand und grüßte Abschied nehmend.

»Eigentlich war es damals nicht anders als später in Plötzensee. Die Methoden die gleichen, die Wirkungen auch; als Gefängnispfarrer macht man Bekanntschaft mit immer neuen Variationen ein und derselben Art. Der Mensch bleibt der gleiche ... die Menschheit in ihrer Gesamtheit ebenfalls ... machen Sie, was Sie wollen. Er ändert sich nicht, und seine Natur – ach, alles ist ganz genau so wie vor hundert ... vor tausend Jahren.«

Jetzt konnte sich der genarrte Hörer nicht länger zusammennehmen und fragte, außer sich vor Begierde, etwas Näheres zu erfahren: »Wovon sprechen Se eigentlich? Sagen Se doch! Man möchte doch gerne wissen –«

Der alte Mann, es war ein Ben Akiba der Kirche, drehte sich ohne Erstaunen um und sagte zu dem Soldaten: »Von den koreanischen Märtyrerakten und dem ›Tagebuch der Verfolgung‹. Diese Geschichte ereignete sich vor genau hundert Jahren. Nichts Neues unter der Sonne ... Alles schon dagewesen.«

Glück haben

Dieses merkwürdig endende Selbstgespräch hörte ich auf der Garten-bank eines ländlichen Sanatoriums, welches gleichzeitig Altersheim war. Ich wartete damals auf einen Bekannten, den wir kurz vor dem Ende des letzten Krieges mit einem Nervenschock aus dem Keller seines Hauses gezogen hatten; sein Kopf ging wie ein Uhrperpendikel immer ticktack hin und her ... immer ticktack, ganz friedlich, ganz ruhig, niemand von uns [weder ich, noch mein Mann, noch die Skatfreunde meines Bekannten] hätten sich drüber gewundert, wenn die Stunde gerade halb oder voll war, noch den Westminstergong zu hören – ticktack und den Westminstergong. Na, ja. Aber diese Ge-schichte steht auf 'nem anderen Blatt.

Übrigens war die Heilanstalt ein wahres Paradies. Schöner Park, alte Bäume, das Haus dahinter ein märkisches Landschloss: zwei ein-fache Flügel und eine Freitreppe in der Mitte – bisschen kleiner, wäre es ein Wohnhaus in Caputh oder Bernau gewesen. Wie gesagt, es war wirklich ein Paradies, wie es gleich hinterm Friedhof kommt. Wir wünschten uns alle damals so etwas Ähnliches, um uns vier Wochen auszuruhen. Aber wer hat das Glück?

Neben mir saß eine ältere Frau; dass heißt, ob sie eigentlich älter war, kann ich nicht mehr mit Sicherheit sagen. Sie war verrückt, das stand einwandfrei fest. Auf gar keinen Fall gehörte sie etwa nur in das Altersheim. Aber alt oder nicht alt – keine von uns sah damals gern in den Spiegel. Auch die da: Wenn ich mir's jetzt überlege, war sie weder – noch. Sie war keins von beiden: Nicht alt und nicht jung – natürlich nicht jung – doch ihr Gesicht ganz glatt wie ein Ei unter vollkommen schlohweißen Haaren. Man wird sagen, solche Gesichter gibt's viele. Und das ist auch wieder wahr. Nur, dass nicht alle verrückt sind, und erst recht nicht alle eingesperrt werden – wo käme man sonst hin? Gut möglich, dass mir die Frau normalerweise nicht aufge-fallen, oder mir, was sie erzählte, nicht haften geblieben wäre; es gab so viel Unglück in dieser Zeit, dass es auf weniger oder mehr schon überhaupt nicht mehr ankam – man behielt es im Grunde nicht. [Heute sage ich: Gott sei Dank. Wo käme man sonst hin?] Also, nor-malerweise wäre mir so ein Geschöpf sicher nicht aufgefallen. Beim

Schlangestehen, zum Beispiel, erlebt man ja ähnliche Dinge. Oder auf der Bezugscheinstelle.

Aber hier war die Sache anders. Man bekam nichts erzählt; man hörte da etwas, das im Grunde nicht für einen bestimmt war, man hatte das verdammte Gefühl, einen offenen Brief zu lesen, der liegen geblieben war. Ja: Einen offenen Brief. Ich glaube, dieser Vergleich ist richtig, wenn auch jeder natürlich hinkt. Denn, dass man etwas gelesen hatte, durfte man scheinbar nicht wissen. Kaum sagte man: Wie? Oder: Ach? Oder: Oh!, so fuhr die Frau wie gepickt in die Höhe und sah einen böse an. Na – »böse« ist überhaupt kein Ausdruck für dieses Angucken – nur ein Verrückter kann einen so ansehen … so gefährlich und so aus 'ner anderen Welt. Ich hätte mich natürlich gefürchtet, wenn nicht eine Schwester die ganze Zeit in der Nähe geblieben wäre. Eigentlich dürfte man diese Biester ja gar nicht Schwestern nennen. Wenn so eine still von hinten her andrückt und packt die Kranken in ihre Klammer und schiebt sie am Ellbogen weiter, ohne ein Wort zu sagen … so eine blauweiß gestreifte, dicke Lokomotive –. Na ja, Es muss ja am Ende sein. Wo käme man sonst hin?

Wie gesagt: Die Frau war schon mitten im Reden, als ich mich neben sie setzte. Allerdings kann sie mit ihrer Geschichte nicht weit gewesen sein.

»Ich war wirklich ein hübsches Kind«, sagte sie. »Augen wie Tollkirschen. Eine Figur wie eine Groschenpuppe. Meine Eltern ließen mich gern und häufig fotografieren. Warum auch nicht? Warum denn auch nicht? Sie hatten es ja dazu. Da gibt es Bilder von mir vor einer Waldkulisse, und andere wieder in einem Park auf einer Birkenholzbank. Mein kleiner Bruder musste den Kopf an meine Schulter legen – ›Hänsel und Gretel‹ sagten die Leute zu dieser Fotografie. Ein anderes Mal, ich weiß nicht wieso, halte ich einen japanischen Schirm über mich und mein Stickereikleid. Ich war ein Glückskind. Wir hatten Geld; was ich wollte, konnte ich haben, keine Puppe war groß genug. Auch in der Schule ging es mir gut, Ich hatte in allem die erste Nummer, nur in Handarbeit immer fünf. Das sei doch schade, meinte die Lehrerin, und meine Mutter setzte sich hin und machte für mich die Handarbeiten – da hatte ich von der Religion bis zur Handarbeit nur noch eins. So ging es weiter. Mit sieben Jahren bekam ich ein kleines Dreirad, mit zehn ein größeres und mit vierzehn ein richtiges

Damenrad. Wir machten Reisen – mal eine nach Bayern, mal eine nach Helgoland. Dann starb unser Vater. Mein Bruder und ich merkten nicht viel davon. Ein Jahr wie das andre: In einem lernte ich Rückenschwimmen und im andern Diabolo spielte, in dem dritten sammelten wir einen Haufen von bunten Ansichtspostkarten, in dem vierten Reklamemarken. Ich hatte wie immer Glück beim Tauschen: Pfeiffer und Dillers Kaffeezusatz gegen die Weltausstellung; das Persilmädchen gegen moderne Kunst und den Darmstädter Jugendstil. So kam der Weltkrieg und ging vorüber, ohne uns wehzutun – am Anfang gab es noch alles zu essen, am Ende die Quäkerspeisung. In der Unterprima verliebte ich mich zum ersten Male in einen Lehrer, obwohl ich das Schwärmen nicht leiden konnte und nichts von der Sinnlichkeit hielt. Von da ab verliebte ich mich sehr häufig und wurde auch angeschwärmt. Ich bekam meinen ersten Heiratsantrag und bald einen zweiten und dritten, obwohl doch sehr viele junge Männer im Krieg gefallen waren. Na, ich war eben wirklich nett, und hatte auch wohl, wie man damals so sagte, richtigen ›Sex-Appeal‹. Als fünftes Mädchen aus meiner Klasse verheiratete ich mich. Mein Mann war Assessor, sein Vorgesetzter nannte mich ›kleine Frau‹. Am Anfang wollten wir keine Kinder, um das Leben noch zu genießen, auf keinen Fall aber mehr als zwei: einen Jungen, ein Mädchen und Schluss. Natürlich hatte ich wieder Glück, und alles ging wie bestellt. Zuerst kam der Junge, ich nannte ihn Harald, hernach die kleine Brigitte, ein wunderhübsches Kind. Mein Mann war ein hochbegabter Jurist, auch kaufmännisch erfahren, ein lieber, guter Kerl. Er hätte im Staatsdienst bleiben können, aber um rascher voranzukommen, und noch mehr Geld zu verdienen, wurde er Syndikus. Zuerst in Köln, dann in Hamburg, zuletzt in Königsberg. Immer weiter nach Norden, dann nach Nordosten, im Osten blieben wir hängen und kauften uns schließlich ein Gütchen in der Rominter Heide mit Jagd und Fischerei. Womit unser Unglück eigentlich anfing, weiß ich heute nicht mehr genau. Vielleicht hätten wir nicht so schrecklich weit vom Westen fortgehen sollen, aber wer konnte das ahnen? Der Norden war zeitgemäß, mehr noch der Osten, viele Kinder zu haben, war schick. Ich raffte mich also zu dem Entschluss auf, noch ein weiteres Baby zu kriegen, doch es war eine Fehlgeburt. Ich versuchte es noch einmal: wieder dasselbe. Nach dem dritten Male gab ich es auf. Mein Mann war inzwischen auch älter geworden und hatte ein Magengeschwür. Nichts Schlimmes natürlich, wir hatten Glück, die Operation war nach Wunsch verlaufen, da bekam er plötzlich, kein Mensch weiß warum, die übliche Embolie. Ich war sehr traurig, aber die Kinder standen mir tatkräftig bei. Das war kurz vor dem Krieg, der Junge war achtzehn, das Mädchen sechzehn Jahre. Alles wie üblich: zuerst Abitur, dann Arbeitsdienst, dann wurde Harald zum Militär eingezogen. Er hatte Glück: Weil er technisch begabt war, kam er zu einer Nachrichtentruppe und blieb zunächst hinter der Front. Brigitte, groß und blond wie mein Mann, wurde Arbeitsdienstführerin im Generalgouvernement. Es wäre wohl alles gut gegangen, wenn Harald sich nicht aus dem Ehrgeiz heraus, das Ritterkreuz zu erhalten, bei den Fallschirmtruppen gemeldet hätte. Kurz darauf kam er zum Einsatz und fiel bei Monte Cassino … fast an dem gleichen Tag, als die Brigitte von einem SS-Kameraden den kleinen Heiko bekam. Natürlich wollte sie jetzt nicht länger Lagerführerin bleiben, sondern ging mit dem Jungen nach Haus. Das Kind gedieh prächtig, sie hatte Glück, und verlobte sich mit einem Schlipsoffizier, einem Nachtjäger, welcher kurz nach der Landung der Engländer in Nordfrankreich fiel, aber sie hatte Glück und war vorher noch mit ihm ferngetraut worden. Als das Kind gerade zu laufen anfing, merkten wir, dass den Führer sein Glück verlassen hatte. Alles ging schief, der Russe kam näher und näher, schließlich mussten wir fliehen. Es war im Winter, Hals über Kopf mussten wir alles verlassen, zwei Koffer in der Hand. Die Züge waren natürlich von Flüchtlingen überfüllt, es waren Güterzüge, Viehwagen, offene Loren; wir hatten Glück und bekamen einen geschlossenen Wagen von Dirschau bis Schneidemühl. In Schneidemühl mussten die Wagen halten, um einem Verwundetenzug und den flüchtenden Truppen Vorfahrt zu lassen, die über die Geleise kamen. Wir wurden alle herausgesetzt, die Koffer auf die Schienen geworfen, und erst, als die Truppen aufgenommen und in die Wagen gepackt worden waren, durften wir mitfahren – teils auf dem Dach, auf den Puffern, den Trittbrettern, wo eben Platz war, so gut es eben ging. Meine Tochter gab mir den Kleinen zu halten und ging noch einmal auf die Geleise, um nach den Koffern zu sehen. Sie hatte auch Glück und fand ihren Koffer und reichte ihn mir auf das Dach. In diesem Augenblick fuhr der Zug los, und von der anderen Seite kam ein Gegenzug an uns vorbei. Meine Tochter wurde sofort überfahren, ich packte das Kind in die Wolldecke ein, aber am nächsten Morgen war es natürlich schon tot. Wir fuhren weiter, auch andere Kinder waren oben auf dem Dach erfroren, immer neue Flüchtlinge stiegen dazu, wir warfen schließlich, um Platz zu haben, die hartgefrorenen Kinderleichen herunter in den Schnee. Endlich kamen wir nach Berlin und in ein Flüchtlingslager. Wir wurden erobert, ich hatte Glück, der Vorort wurde fast ohne Schuss den Russen übergeben, in der Nähe war ein Barackenlager mit vielen Konservendosen. Als das vorüber war und noch kein Brot gebacken werden konnte, gingen wir weiter hinaus in das verlassene Lager, wo noch Kartoffeln waren; doch als ich hinkam, hatten schon alle ihre Kartoffelsäcke gefüllt, die Mieten waren leer. Was sollte ich machen? Ich hatte Glück: In einem großen hölzernen Bottich, der mit Wasser angefüllt war, war eine riesige Menge geschälter Kartoffeln zurückgeblieben – ich krempelte meine Ärmel hoch und fischte sie heraus. Mein Rucksack war schon beinahe voll, ich fuhr noch einmal recht tief auf den Grund und hatte beide Hände voll Dreck, voll braunem, stinkendem, glitschigem Dreck; sie mussten, bevor sie das Lager verließen, in den Bottich hineingemacht haben. Jetzt was das Maß meines Unglücks voll, ich nahm meinen Sack auf den Rücken und fing zu schreien an. ›Dieses Scheißleben!‹, schrie ich … ›Scheißleben! … Scheiß …‹«

Sie schrie es wirklich, die Krankenschwester – wie aus dem Boden geschossen – stand plötzlich hinter ihr und schob sie gegen das Haus. »Scheißleben!«, schrie sie, und ich schrie mit; wir schrien beide, sie machte sich steif, und ich schlug auf die Dicke ein. Das Unglück wollte es, dass mein Bekannter in diesem Moment dazukam. Sein Kopf ging ticktack, dann schlug er gemeinsam mit uns auf die Wärterin ein, aber nicht den Westminstergong …

Schließlich beruhigte ich mich und blieb da. Ich blieb tatsächlich noch vier Wochen da, es war gerade ein Zimmer frei, das Wetter war wie gemalt. Es war überhaupt meine schönste Zeit: gutes Essen und Ruhe, die Krankenschwester fand ich schließlich besonders nett, wir freundeten uns an. Sie war früher mal mit einem Gasmann verlobt. Na, ja. Aber diese Geschichte steht auf 'nem anderen Blatt.

Der Friede Gottes

Heute ist das ja schon wieder anders – auch in der Innenstadt. Der Schutt ist fortgeräumt, wenigstens dort, wo er über den Straßen lag. Schippkolonnen und Arbeitskommandos von zehn, zwölf Kopftuchfrauen klopfen die Backsteine sauber ab und schichten sie zu endlosen Reihen ordentlich aufeinander; Krane bewegen sich feierlich um ihre eigene Achse und befördern die Lasten weiter; die wassergefüllten Bombenkrater und abgesoffenen U-Bahn-Schächte sind ausgehoben worden. Natürlich bleibt die Zerstörung Zerstörung; doch die Zerstörung ist, Gott sei Dank, wieder organisiert. An den Mauern kleben rote Plakate, und auch in den allerverwüstetsten Straßen kommt aus den Lautsprechern, die an dem Drahtseil zwischen den Masten hängen, Marschmusik, Tanzmusik, Zirkusmusik, wenn man ahnungslos drunter durchgeht, und schüttet den Vorrat an Melodien wie eine Brause aus ...

Auch das Ehepaar, welches vor einem Jahr, im Sommer 45, die Neue Friedrichstraße entlang lief, hätte heute wahrscheinlich keinen Grund mehr, so außer sich zu sein. »Geh nicht so rasch! Ich kann nicht mehr laufen«, sagte damals die Frau alle Augenblicke. »Bleib stehen …! Geh weiter …! Sieh nach der Nummer …! Sieh *nicht* nach der Nummer …! Was siehst du nach der Nummer …? Hier ist ja doch alles zerstört.«

Der Mann ließ sie plappern und schleifte sie weiter, wie ein Kind seine Puppe über die Erde immerfort hinter sich herschleift – es blieb jetzt auch keine andere Wahl mehr, als weiter voran zu gehen. Die Straße war endlos. Sie war inzwischen natürlich nicht länger geworden als vorher, ich meine: vor der Zerstörung; aber weil sie keine Straße mehr war, ohne jedoch etwas anderes, zum Beispiel: ein Streifen Acker oder ein Feldweg, geworden zu sein, war sie so endlos; es gab keinen Punkt mehr, an welchem das Auge haften konnte, denn das Auge, um zu begreifen, muss zuerst wiedererkennen – doch da war nichts Bekanntes mehr.

»Diese Nummer existiert überhaupt nicht«, sagte der Mann endlich niedergeschlagen und wischte den Schweiß von der Stirn. »Und wenn sie auch wirklich existiert –«

»Gehört kein Haus mehr dazu«, sagte die Frau gedankenlos und fuhr fort: »Ich meine, kein Mensch.«

Der Mann bemerkte den Unsinn nicht, den sie geredet hatte; wahrscheinlich war er noch froh darüber, überhaupt eine Stimme zu hören. Sie stolperten weiter, jetzt kam eine Kirche, von der noch einige gotische Fenster und ein paar Schwibbögen standen, hernach ein paar klassizistische Wände und schließlich wieder ein Haus. »Da ist die Nummer, wahrhaftigen Gott!«, sagte sie aufgeregt. Sie hatte recht: Es war wirklich die Nummer, und zu der Nummer gehörte ein Haus, und das Haus war stehen geblieben. Es war sogar bewohnt, keine Frage; vielmehr das oberste Stockwerk, eigentümlicherweise, konnte bewohnt sein. Es hatte zwei Fenster. Die Fenster waren zwar blind und verschmutzt, aber sie waren verglast. Das Ehepaar ging also durch die Haustür und stieg die Treppe hinauf.

»Hier wohnt doch niemand«, sagte die Frau.

»Abwarten«, sagte der Mann.

Von Stockwerk zu Stockwerk blieben sie stehen und sahen nach den Schildern, sie lasen die wenigen fremden Namen [denn das Haus war früher die Unterabteilung einer städtischen Bibliothek gewesen] und schüttelten den Kopf. Endlich, im obersten Stockwerk, fanden sie den gesuchten Namen auf einer Visitenkarte: Karl Ellmer; darüber ein Messingschild mit wieder einem Namen – aber der ging sie nichts an. Eine Weile starrte das Ehepaar hoffnungslos auf die Tür; dann streckte der Mann einen Finger aus und berührte den Klingelknopf. Der Klingelknopf zog sich zurück und sprang vor ohne den leisesten Laut.

»Na, klar – wo soll hier der Strom herkommen?«, sagte die Frau überlegen; dann klopfte sie mit dem Fingerknöchel ein paarmal gegen die Tür. Es blieb still. Auch der Mann klopfte noch einmal, zuerst mit dem Knöchel, dann mit der Faust; die Türfüllung zitterte, feiner Kalkstaub rieselte über das Holz ...

Endlich, ohne ein Wort zu sagen, stiegen sie wieder hinab. Sie gingen langsam; gewissermaßen, um dem Schicksal noch eine Chance zu geben – und blieben am zweiten Treppenabsatz vor dem offenen Flurfenster stehen. Von einem Mauerviereck umrahmt – die vierte Mauer war niedergebrochen [ich meine die Mauer dem Ehepaar am Fenster gegenüber] und ließ dahinter die Kirche sehen: ihre Schwibbögen und ihre Pfeiler – also, von diesem Viereck umrahmt, lag ein kleiner, bebauter Gemüsegarten mit Bohnen, Salatpflanzen, Küchenkräutern und einem Rosenbusch.

»Was meinst du: Wollen wir auf ihn warten, auf diesen Herrn Ellmer?«, fragte die Frau im Flüsterton; dass sie flüsterte, kam ihr wohl nicht zum Bewusstsein – auch nicht, dass der Mann den Arm um sie legte und keine Antwort gab. Wie lange sie so gestanden und, in Gedanken versunken, das Gärtchen betrachtet hatten, wussten sie nicht … wäre Sonne und Mond darüber hinweggegangen, sie hätten es nicht bemerkt. Unterdessen kam plötzlich von unten herauf ein Schritt und stieg langsam die Treppe empor; ein junger Mann, den Hut in der Hand, blieb vor dem Ehepaar stehen.

»Ellmer«, sagte er. »Tut mir leid, ich konnte nicht eher kommen. Sie wissen ja, wie das ist.« Er ging voran, schloss die Wohnungstür auf, sie traten in ein geräumiges Zimmer, ein Ohrensessel stand an dem Fenster; in dem Sessel saß, trotz der brütenden Hitze in eine Art Umhang gewickelt, ein alter Mann und schlief. »Mein Onkel«, erklärte der junge Ellmer. »Er hört nichts. Wir brauchen nicht leise zu sein. Ich glaube, er hat selbst von der Beschießung nicht einen Ton gehört.« Trotzdem dämpfte er seine Stimme, der Mann und Herr Ellmer gingen zusammen zu dem anderen Ende des Zimmers hinüber und besprachen im Stehen den Auftrag, den Ellmer ausführen sollte. »Na, geben Sie nur Ihren Brief her, ich fahre schon in drei Tagen wieder nach Hamburg zurück. Natürlich muss man sich verproviantieren, haben Sie etwas zu rauchen? Zehn Zigaretten genügen …«

Die beiden Männer murmelten leise, die Frau, von Ungeduld übermannt, lief in dem Raum hin und her. Sie ging zu dem Fenster, blickte hinunter und dachte: ob er wohl nur das Geld nimmt, die Fettmarken und die Zigaretten und wirft den Brief schon unterwegs fort … vielleicht hinter Ludwigslust, wie? Die Straße lag immer noch vollkommen leer da, wie ausgebrannt von der Hitze; ganz von ferne hörte man jetzt ein großes Lastauto fahren; doch das Geräusch, durch das dünne Sieb der zerschossenen Häuser gefiltert, kam so von weit und so unwirklich her wie von einem anderen Stern … Die Männer sprachen noch immer zusammen, sie nahm ihre Wanderung wieder auf und blieb endlich dicht vor dem Alten stehen, der ungestört weiterschlief – fast sah es so aus, als ob dieser Schlaf bereits vor ewigen

Zeiten begonnen worden wäre. Auf einem Tischchen zu Füßen des Alten lag ein aufgeschlagenes Buch. Die Frau, die etwas kurzsichtig war, bückte sich auf den Text herunter, und während der Lastwagen sich entfernte, und das dunkle Rollen des Motors in unendlicher Ferne verklang, las die Frau in dem Brief an die Philipper aus dem 4. Kapitel den 7. Vers: »Der Friede Gottes, der über die Maßen jedes Begreifen weit übersteigt, wird euer Herz und eure Gedanken bewahren in Christus Jesus.«

Die getreue Antigone

Das Grab lag zwischen den Schrebergärten, ein schmaler Weg lief daran vorbei und erweiterte sich an dieser Stelle wie ein versandetes Flussbett, das eine Insel umschließt. Das Holzkreuz fing schon an zu verwittern; seine Buchstaben R. I. P. waren vom Regen verwaschen, der Stahlhelm saß schief darüber und war wie ein Grinsen, mit welchem der Tod noch immer Wache hielt. Gießkanne, Harke und Rechen lagen an seiner Seite, das Mädchen Carola stellte den Spankorb mit den Stiefmütterchenpflanzen, die es ringsherum einsetzen wollte, ab und wandte sich zu seinem Begleiter, der ihr gelangweilt zusah und unter der vorgehaltenen Hand das Streichholz anrätschte, um seine Camel im Mundwinkel anzuzünden.

Kein Lüftchen. Der Frühling, an Frische verlierend, ging schon über in die Verheißung des Sommers, der Flieder verblühte, die einzelnen Nägelchen bräunten und begannen, sich aus Purpur und Lila in die Farbe des Fruchtstandes zu verwandeln, der Rotdorn schäumte gewalttätig auf, die Tulpenstängel, lang ausgewachsen, trugen die Form ihrer Urne nur noch diesen Tag und den nächsten – dann war auch das vorbei. Eine hässliche alte Vase und zwei kleine Tonschalen dienten dazu, den Blumenschmuck aufzunehmen – jetzt waren Maiglöckchen an der Reihe, Narzissen, die einen kränklichen Eindruck machten, und Weißdorn, der das Gefühl einer Fülle und Üppigkeit zu erwecken suchte, die zu dem unangenehmen Geruch seiner kleinen, kurzlebigen Blüten in seltsamem Gegensatz stand.

»Wenn der Rot- und Weißdorn vorüber ist, kommt eine Zeit lang gar nichts«, sagte Carola, bückte sich und leerte das schmutzige Wasser aus beiden Schalen aus, füllte sie wieder mit frischem Wasser und seufzte vor sich hin.

»Rosen«, sagte der junge Bursche. »Aber die sind noch nicht da. Du hast recht: Dazwischen kommt gar nichts. Ein paar Ziersträucher höchstens, rosa und gelbe, aber die Zweige müsste man abreißen, wo man sie findet –«, er blinzelte zu ihr hin.

»Nein«, sagte sie rasch.

»Nicht abreißen? Nein? Dann muss der da unten warten, bis wieder Rosen blühen.« Er lachte roh und verlegen auf; das Mädchen begann das Grab zu säubern, die herabgefallenen Blütchen sorgfältig aufzulesen und die Seitenwände des schmalen Hügels mit Harke und Händen gegen den Wegrand genauer abzugrenzen. [So hat sie wohl schon als kleines Mädchen auf dem Puppenherd für ihre Ella und Edeltraut Reisbrei gekocht, Pudding und solches Zeug, schoss es ihm durch den Sinn.] Wieder musste er lachen; sie blickte misstrauisch auf und unterbrach ihr Hantieren; wirklich war es, als ob auf dem Grab, das die Weißdornblüten bedeckten, Zucker verschüttet wäre, oder spielende Kinder hätten vergessen, ihr Puppengeschirr, als die Mutter sie rief, mit in das Haus zu nehmen.

»Gib den Korb mit den Pflanzen her«, sagte Carola. »Ich will sie jetzt einsetzen. Auch den Stock, um die Löcher in die Erde zu machen, immer in gleichem Abstand –«, sie war vor Eifer ganz rot.

»Hol ihn dir selber«, sagte der Bursche und drückte an einem morschen Pfahl die Zigarette aus. »Ein Blödsinn, was du da treibst.«

»Was ich treibe?«

»Na – dieses Getue um das Soldatengrab. Immer bist du hierher gelaufen. September, Oktober: mit Vogelbeeren; November, Dezember: mit Stechpalmen, Tannen; hernach mit Schneeglöckchen, Krokus und Zilla. Und das alles für einen Fremden, von dem du nicht einmal weißt –«

»Was weiß ich nicht?«

»Was er für einer war.«

»Jetzt ist er tot.«

»Vielleicht ein SS-Kerl.«

»Vielleicht.«

»Ja, schämst du dich eigentlich nicht?«, brauste der Bursche auf. »Deinen ältesten Bruder haben die Schufte in Mauthausen umgebracht. Wahrscheinlich hat man ihn –«

»Sei doch still!« Sie hielt sich mit verzweifeltem Ausdruck die Hände an die Ohren; er packte sie an den Handgelenken und riss sie ihr herunter, sie wehrte sich, keuchte, ihre Gesichter waren einander ganz nahe, plötzlich ließ er sie los.

»Tu, was du willst. Es ist mir egal. Aber ich bin es satt. Adjö –.«

»Du gehst nicht!«

»Warum nicht? Du hast ja Gesellschaft. Ich suche mir andere.«

»Die kenne ich«, sagte das Mädchen erbittert. »Die von dem Schwarzen Markt.«

»Und wennschon? Der Schwarze Markt ist nicht schlimmer als deine Geisterparade. Gespenster wie dieser da … Würmer und Maden.« Er deutete mit dem Kopf nach dem Grab, das nun, vielleicht weil Harke und Rechen, während sie beide rangen, quer darüber gefallen waren, einen verstörten Eindruck machte und ein Bild der Verlassenheit bot. »Komm«, sagte der Bursche besänftigt. »Ich habe Schokolade.«

»Die kannst du behalten.«

»Und Strümpfe.« Schweigen. »Und eine Flasche Likör.«

»Warum lügst du?«, fragte das Mädchen kalt.

»Nun, wenn du weißt, dass ich lüge«, sagte der Bursche gelassen, »kann ich ja aufhören. Oder meinst du, das Lügen macht mir Spaß?«

»Dann lügst du also aus Traurigkeit«, sagte Carola kurz.

Sie schwiegen, die Nachmittagssonne brannte, in der Luft war ein Flimmern wie sonst nur im Sommer, ein flüchtiges Blitzen, der leise Schrei und das geängstigte Seufzen der mütterlichen Natur. Ein Stück niedergebrochenen Gartenzauns lag am Wegrand, sie setzten sich beide wie auf Verabredung nieder, der junge Mann zog Carola an sich und legte wie ein verlaufener Hund den Kopf in ihrem Schoß. Sie saß sehr gerade und starrte mit aufgerissenen Augen nach dem Soldatengrab …

»Glaubst du wirklich, dass Clemens so qualvoll –?«, fragte Carola leise. »In dem Steinbruch oder …«

»Ich weiß es nicht. Lass doch. Quäle dich nicht«, murmelte er wie im Schlaf. »Für Clemens ist es vorbei.«

»Ja«, sagte sie mechanisch, »für Clemens ist es vorbei.« Sie nickte ein paarmal mit dem Kopf und fing dann von Neuem an. »Aber man möchte doch wissen.«

»Was – wissen?«

»Ob er jetzt Frieden hat«, sagte sie, halb erstickt.

»Da kannst du ganz ruhig sein. Du weißt doch, wofür er gestorben ist.«

»Ich weiß es. Aber siehst du, als Kind konnte ich schon nicht schlafen, wenn mein Spielzeug im Hof geblieben war; das Holzpferd oder der Puppenjunge. Wenn es Regen gibt! Wenn er allein ist und hat Angst vor der Dunkelheit, dachte ich. Verstehst du mich denn nicht?«

Er gab keine Antwort, Carola schien sie auch nicht zu erwarten, sondern richtete ihre Fragen an einen ganz anderen.

»Ist das Sterben schwer? Du kannst es mir sagen. Der Augenblick, wo sich die Seele losreißt von allem, was sie hat?«

Nun bewegte sich doch noch ein leiser Wind und hob die äußersten Enden der Weißdornzweige empor; die schräge fallenden Sonnenstrahlen wanderten über den Stahlhelm und entzündeten auf der erblindeten Fläche einen winzigen Funken von Licht.

»Liegst du gut?«

Der junge Mann warf den Kopf wie im Traum auf ihrem Schoß hin und her; sein verfinstertes junges Gesicht mit den Linien der unbarmherzigen Jahre entspannten sich unter den streichelnden Händen, die seine widerspenstigen Strähnen langsam und zart zu glätten versuchten und über die Stirn zu den Schläfen und von da aus über die Wangen gingen … die Lippen, die ihre kühlen Finger mit einem leise saugenden Kuss festzuhalten versuchten … bis die Finger endlich, selber beruhigt, in der Halsgrube liegenblieben, wo mit gleichmäßig starken Schlägen die lebendige Schlagader pochte.

»Ich liege gut«, gab der junge Mann mit entfernter Stimme zurück. »Ich möchte immer so liegen. Immer …« Er seufzte und flüsterte etwas, das Carola, weil er dabei den Mund auf ihre Hände presste, nicht verstand; doch sie fragte auch nicht danach.

Nach einer Weile sagte das Mädchen: »Ich muss jetzt weiter machen. Die Mutter kommt bald nach Haus. Übrigens, dass ich es nicht vergesse: Der Kuratus hat gestern nach dir gefragt. Es ist jetzt großer

Mangel an älteren Ministranten, besonders bei Hochämtern, weißt du, an hohen Festen, und so, Ob du nicht –?«

»Nein. Ich will nicht.« Der Bursche verzog seinen Mund.

»... die Kleinen können den Text nicht behalten, sie lernen schlecht und sind unzuverlässig«, fuhr sie unbeirrt und beharrlich fort. »Bei dem Requiem neulich –«

Sie stockte. Dicht vor beiden flog ein Zitronenfalter mit probenden Flügelschlägen vorbei und ließ sich vertrauensvoll und erschöpft auf dem Korb mit den Pflänzchen nieder.

»Meinetwegen«, sagte der Bursche. »Nein: deinetwegen«, verbesserte er. »Damit du Ruhe hast«, fügte er noch hinzu.

»Damit er ... Ruhe hat«, sagte sie und griff nach dem Pflanzenkorb.

Kuckuck

Mann und Frau erwachten fast gleichzeitig, während der Kuckuck rief. Es war ein starkes, aschgraues Männchen mit schwärzlichen Wellenbändern am Bauch; in dem Bauch des Weibchens, welches er lockte, reifte schon drängend und ungeduldig das Ei, das es heute noch absetzen würde – wahrscheinlich zwischen die Grasmückeneier, die Rotkehlcheneier, die Bachstelzeneier; wohin, war ihm einerlei. Weil das Haus ziemlich nahe am Waldrand lag, war auch der Kuckucksruf nahe; er kam immer näher, fast wie verhext; die Frau, noch im Halbschlaf, glaubte den Schatten eines großen Vogels vorüberstreifen und den Baumwipfel sich bewegen zu sehen, als es »Kuckuck« und »Kuckuck« rief. Der Mann, ein Kriegsverletzter, griff stöhnend und gewohnheitsmäßig nach ihrer Hand, während er sich noch dehnte, das Kuckucksweibchen anstelle der Frau [und nicht ihre leise zuckende Hand] verweigerte ihm die Antwort, indem es vor dem Männchen davonflog und das Gefühl der Frau mit sich fortnahm ... ganz fort von der hässlichen braunen Krücke, die am unteren Bettrand lehnte. Fort: ihr Gefühl; und weit von ihm fort: von dem Mann mit dem Humpelstolz und diesem Zimmer, dessen Fenster weit offen standen, war alles, was außer ihrem Gefühl noch Anspruch auf sie machte; fort war sie selbst und sich selber entfallen wie die Grasmücke, die das vertauschte Ei mit der gleichen Inbrunst bebrüten würde, als wenn sie's im eigenen Schoß getragen, und die ohne Mitleid das eigene Ei am Boden zerschellt sehen würde, wenn sie das fremde erst unter den Federn und dem zitternden Körper hätte ...

Dies war der Augenblick, wo alltäglich Mann und Frau miteinander sprachen: über den Garten zum Beispiel und die eben gelegten Erbsen, an welche die Wühlmäuse gingen; den jungen Kohlrabi, den die Kaninchen, und die neugesetzten Tomatenpflanzen, die der Sturm heute Nacht wohl hingemacht hatte, indem er sie samt dem Bast und der Kordel ganz einfach vom Holzstab fegte. Es hatte abgekühlt, weiter im Westen hatte sich ein Gewitter entladen und musste auf die Wälder und Gärten niedergegangen sein. Der Himmel war noch immer verhangen; die Wolken, eben erst angerötet, schwammen wie mythologische Schiffe über der Dämmerung hin, von den venerischen Vögeln gezogen, die in einem fort »Kuckuck« riefen. Jeder von beiden – der Mann auf die Frau und die Frau ... ja, auch die Frau auf den Mann – wartete, dass der andere zu sprechen anfangen würde: über den Garten zum Beispiel und die eben gelegten Erbsen, an welche die Wühlmäuse gingen, den jungen Kohlrabi, den die Kaninchen, und die neugesetzten Tomatenpflanzen, die der Sturm heute Nacht wohl hingemacht hätte – dann gaben sie es auf.

Ein Dritter redete unaufhörlich und fing immer von Neuem an. Immer das Gleiche. Zwei gleiche Laute, nur Hall und Widerhall.

»... vier, fünf.« Nun zählte der Mann mit dem Kuckuck zusammen, wie lange es wohl noch dauern würde, bis er endlich seine versprochene, eine wirklich gute Prothese, Gott im Himmel, bekommen würde ... »sechs, sieben –«

»... zwölf, dreizehn ...«, die Frau war schon weiter, um das Doppelte fast, obwohl sie nicht wusste, was sie eigentlich hören wollte.

»... acht, neun, zehn ...«, zählte der Mann erbittert.

»... fünfzehn –«, fuhr sie besinnungslos fort, während der Mann es entmutigt aufgab, und blieb bei der Zwanzig stehen.

Nun war es wirklich die doppelte Ziffer, um welche sie dem Krüppel voran war – als der Kuckucksmann plötzlich aussetzte, fortblieb, und mitten im Rufen den Lockton jäh abgebrochen hatte. Die wildernde Katze unter dem Baum, auf welchem er saß, war vorübergewischt, und er selber war weitergeflogen: waldeinwärts und von der Siedlung fort, immer weiter und weiter weg. Im Dahinfliegen ließ er noch einige

Laute, immer schwächer, hinter der Flugbahn zurück; doch, dass er leiser geworden war, hatten Mann und Frau nicht mehr wahrgenommen, weil sie beide mit leichtem Erschrecken nur fühlten: Er war fort. Zwanzigmal Kuckuck hatte die Frau, und zehnmal der Mann gezählt. Zwanzig Jahre lang war sie dem Kuckuck in den Wald ihrer Wünsche gefolgt; den Wald der Vergangenheit; der Gedankensünden, Begierden und Unterlassungssünden. Zehn Jahre lang war der Mann in die Zukunft [wo er vielleicht eine gute Prothese, die versprochene, wirklich gute Prothese, Gott im Himmel, erhalten würde!] dem Kuckucksruf nachgeeilt. Zwanzig Jahre zurück und zehn Jahre vor. Im Ganzen dreißig: ein Menschenleben trennte den Mann und die Frau ...

Jetzt war der Kuckuck im Kreis geflogen und näherte sich von Neuem dem Haus, sein Schnabel war aufgesperrt vor Entzücken, sein Körper bebte, das Astende auch, als er sich niedersetzte. Das »Kuckuck – Kuckuck« sprang voll und weich und sinnlich aus seiner Kehle; es war so nahe, dass jetzt die Blätter, das ganze Blattgewölbe, der Himmel und die dunstige Himmelsglocke davon erschüttert wurden. Wie als Echo gab der Donner ihm Antwort, der gleichfalls im Kreis mit dem Kuckuck gegangen und wiedergekommen war. Anruf und Schicksal verbündeten sich wie Donner und Kuckucksrufe. Jeder Kuckucksruf löste den Donner, jeder Donner den Kuckucksruf aus. Ein Wetterleuchten fuhr über den Himmel und unter den geschlossenen Lidern des Menschenweibchens hin. In jedem Aufblitzen war ein Gesicht: Dieses gehörte Jakob, mit dem sie als junges Mädchen zum ersten Mal auf den Tanzboden ging, und dieses dem schönen Philipp, den sie gerne geheiratet hätte; dieses Eduard, der nach verlorenem Weltkrieg nach Kanada auswandern wollte; dieses Karl mit der Pelztierfarm, irgendwo in den Bergen; dieses Ernst, einem jungen Bankbeamten, den der große Krach im Jahr 31 aus dem Sattel geworfen hatte. Auch die Gesichter der beiden Franzosen, die als Kriegsgefangene vor ein paar Jahren das verbombte Dach ihres Häuschens gedeckt und das Gitter des Hasenstalles ausgeflickt hatten, waren darunter – ihr Mann war im Krieg ... und im nächsten Jahr erst, als der wilde Wein an dem Gartenzaun von dem Summen der Bienen dröhnte, begegnete sie auch ihm. Verbissen und böse hing er in seinen Achselkrücken; er brauchte jetzt nur noch den linken und nicht mehr den rechten Schuh anzuziehen und wartete auf eine gute Prothese, auf eine wirklich gute Prothese, die man ihm, Gott im Himmel, schon so lange versprochen hatte ...

Der Kuckuck rief immer noch. Während er fortfuhr, veränderte sich der Klang seiner Stimme, sie wurde noch voller, noch tiefer und glich zuletzt einem Schluchzen, bis sie endlich im Schluchzen zerbrach. Gepeinigt, drehte er seinen Kopf über den Nackenfedern und begegnete, weder erstaunt, noch bestürzt, den Augen des Kuckucksweibchens. Es war ihm ohne Wissen und Willen von Baum zu Baum nachgeflogen und sah ihm nun unbeweglich entgegen; seine goldenen Augen erweiterten sich, die Flügel fielen matt auseinander, seine Zehen waren wie angeschmiedet, sein Schnabel ganz ohne Laut. Noch einmal und jetzt zum letzten Mal, stieß der Kuckuck den Lockruf aus; ein Windstoß fuhr durch die Baumwipfel hin, in dem Zimmer schlug die Krücke zu Boden, die Frau, mit ganz entsetztem Gesicht, richtete sich empor.

»Lass sie liegen«, sagte der Mann gedämpft. »Ich werde jetzt bald eine neue haben – eine wirklich gute Prothese – ganz sicher. Ich habe mitgezählt. Der Kuckuck hat nur noch einmal gerufen, bald ruft er gar nicht mehr.«

Inzwischen waren die Vögel schon lange weitergeflogen; ihre Flügelspitzen berührten sich leise; die magischen Kreise, die sie beschrieben, bildeten, unsichtbar allen Augen, ein geisterhaftes Nest. »Hast du Schmerzen?«, fragte die Frau beunruhigt und nahm den Mann in die Arme. »Du hast doch immer Schmerzen im Knie, wenn das Wetter umschlägt wie heut.«

Er bewegte schweigend den Kopf hin und her, es sollte wohl heißen: »Nein, ich habe keine Schmerzen«, und sagte dann erleichtert: »Erinnere mich, dass ich gleich nach dem Frühstück die Tomaten wieder anbinde. Schade, sie am Boden verderben zu lassen.« Dann sprachen sie über diese Tomaten, und der Mann bemerkte, dass er im Garten Kaninchenfallen stellen, die Erbsen umgraben und stattdessen Wirsingkohl pflanzen wolle. »Oder Grünkohl –. Meinst du nicht auch?«

Vorlage auf Reisen

»Verdammt noch mal, diese Leute hier haben kein bisschen Humor.« Der schwarze Etienne aus Montpellier [schwarz wie die Sünde und wie die Kirschen, die er gerade pflückte] baumelte mit den kurzen Beinen über der luftigen Tiefe und rückte den muskulösen Hintern in der Astgabel hin und her.

»Möchte wissen, woher sie ihn haben sollten«, gab der blonde Fernand gelassen zurück und spuckte den Kirschkern aus: »Oder findest du, dass hier viel Ursache ist – in diesem Dreckloch Berlin? Schließlich wohnen nicht alle in einer Villa in Tegel mit Obstgarten, na, und so ...«

»Ursache – zieh mal den Zweig dort herunter und friss nicht alles allein! Ursache? Wenn ich Ursache hätte, brauchte ich keinen Humor. Oder glaubst du, als Grenzgänger in dem Maquis hatte mein Onkel Ursache, hm? Ich meine jetzt nicht meinen Onkel Guillaume, sondern Onkel Nicolas, der vorm Erschießen gesagt haben soll –«

»Ich weiß, ich weiß. Du meinst nicht Onkel Guillaume aus Arles –«

»Aus Nimes!«

»Aus Nimes, der den Stierkämpfer Louis –«

»Den Stierkämpfer Henri!«

»Zum Teufel auch: Henri. Du meinst Onkel Nicolas, der vorm Erschießen gesagt haben soll ... Friss nicht alles allein! Oder glaubst du, der dicke Bartholomäus bäckt die Kirschtorte mit den Kernen, die du Schwein auf die Erde spuckst?«

Die beiden Sergeanten grinsten sich an, dann sagte der blonde Fernand: »Gib den Korb her und rede mir nicht von Humor. Ein Verbrecher wie du hat keinen Humor.«

»Nein?«

»Oder frage doch Bartholomäus, ob du etwa keiner bist. Na? Der Korb ist noch nicht bis zur Hälfte voll. Aber, ich wette, dein Bauch.«

»Was geht dich mein Bauch an? Kümmere dich um deine eigene Seele.«

»Ich wusste ja, dass du keinen Humor hast. Die Leute bei euch da unten haben alle keinen Humor«, sagte Fernand befriedigt.

»Ich kann nur lachen.«

»Dann ist noch Hoffnung.«

»Wieso?«

»›Dass Sie gerettet werden, mein Kind …‹ pflegte Pater Vorage zu sagen. Hast du eigentlich Pater Vorage gekannt?«

»Voyage?«

»Quatsch. Pater Vorage. Voyage war sein Spitzname. Wusstest du nicht? Gar nicht schlecht für den Reiseonkel mit seinem Flugzeugvehikel auf Rädern und der Glocke neben dem Lenkrad.«

»Du legst es wohl darauf an, dass ich an einem Kirschkern ersticke? Aber hoffe nicht allzu früh.«

»Natürlich hoffe ich, dass du erstickst. Und zwar möglichst rasch, damit von den Kirschen noch etwas übrig bleibt.«

»Ich verstehe, du bist ein Geretteter dieses edlen Paters Vorage. Daher deine Nächstenliebe.«

»Habe ich etwa von Nächstenliebe gesprochen? Ich redete von Humor.«

»Das merke ich.«

»Überhaupt nichts merkst du. Humor ist ganz einfach ein anderer Name für diesen Pater Vorage. Oder Voyage. Wie du willst.«

»Ist mir zu hoch.«

»Je höher, je besser, am besten sind immer die Kirschen, die an der Spitze hängen. Übrigens werde ich nur von Voyage, vielmehr von Vorage erzählen, wenn du aufhörst, Kirschen zu schlucken. Oder glaubst du, ich unterstütze dein sündiges Leben noch?«

»Hund!«, sagte der schwarze Etienne mit liebevoller Stimme. »Aber damit du siehst, dass wir Leute aus Montpellier Sinn für Humor noch kurz vorm Erschießen haben –« Er blies seine Backen auf, prustete und spuckte eine Ladung von Kernen dem blonden Fernand ins Gesicht. Gleich darauf stürzten beide übereinander her. Der Baumwipfel zitterte, Spritzer von Licht zuckten auf ihren Gesichtern und hüpften von einer Stelle zur andern, die Gabelung knackte, sie kämpften lautlos und hielten sieh an den Händen, bis endlich Fernand dem schwarzen Etienne die Gelenke nach außen drehte.

»Bist du endlich bekehrt? Dann lasse ich los und erzähle von Pater Vorage.«

»Ich bedanke mich für diese Art von Bekehrung und auch für Pater Vorage«, sagte Etienne erbittert und rieb seine Handgelenke. »Es ist keine Kunst zu bekehren, wenn man den Feind auf die Matte legt.«

»Richtig. Aber was sollte ich machen? Ich bin nicht Pater Vorage. Bei Pater Vorage bist du einfach vor Lachen umgefallen, bevor du erschossen warst. Stell dir vor: Am Triumphbogen habe ich neulich Pater Vorage und den Wagen, vielmehr das Flugzeuggestell, mit welchem er von Flugplatz zu Flugplatz gerasselt ist, wiedergesehen. Ich stehe da ahnungslos am Etoile – du brauchst nicht ›aha‹ zu sagen und überhaupt ist sie nicht gekommen – es wimmelte nicht gerade von Menschen, nur Amerikaner waren zum Knipsen angetreten, als die Dakota, ein Mammut auf Rädern – du kennst doch diese Transportflugzeuge mit dem Zeichen der Royal Air Force – sozusagen herangetobt kam. Natürlich gab es sofort einen Auflauf, der Wagen hielt vor dem Grabmal des Unbekannten Soldaten, und mein lieber guter Vorage stieg aus, um an dem Grabmal zu beten. Er sah noch genauso aus wie früher: ein Mann wie aus Draht von oben bis unten mit viel zu großen Händen und Füßen und einem cholerischen Kindergesicht, das vor Empörung rot anlief, wenn einer von uns nicht den Unterschied zwischen einem Spiralbohrer, sagen wir mal, und einem Drillbohrer kannte. Auch seine Kapelle aus altem Blech war noch unverkennbar die gleiche: das verbeulte, grässlich rappelnde Ding mit den Einschussstellen zahlreicher Kugeln und dem abgesprungenen Lack. Sie war sein ganzer Stolz, dieses Monstrum, dieses ausgediente Transportflugzeug, das er kurzerhand auf vier Räder setzte und in ein Auto verwandelte; eigentlich in einem Omnibus, der außer seinem Führer noch dreißig Personen fasste. Als nach der Landung der Engländer das Benzin einmal knapp wurde, baute er kurzweg einen Holzgasgenerator, was sagst du, und setzte ihn, eigentlich mehr aus Unsinn, seiner Kapelle auf. Vorne das große eiserne Kreuz und hinten der Holzgasgenerator – das war der ganze Vorage, ein konstruktives Genie. Seine Leidenschaft war die Technik, mit der Erbsünde stand er auf gutem Fuß, denn eine paradiesische Welt hätte er nicht ertragen. Er musste verbessern. Er musste vervollkommnen. Musste die Dinge notwendig komplizierter und die Handhabung einfacher machen. ›Idiotensicher‹ nannte Vorage diesen Vorgang. Und er hatte nicht einmal Unrecht, er kannte die Menschen ganz gut. Genauso behandelte er die Seelen. Sie gefielen ihm nicht. Sie mussten verbessert, mussten auf Tour gebracht, mussten geölt und mussten vereinfacht werden. Keine Erschütterung durfte die Präzision ihrer Leistung verändern, kein falscher Handgriff den Arbeitsgang stören, ja überhaupt möglich sein. ›Idiotensicher‹ war seine Parole auch in der Seelenführung. Übrigens hatte ich ihn in Verdacht, dass er durchaus nicht so praktisch war, wie er selbst von sich glaubte. Na ja. Du wirst sagen: Er war ein Original. Ich weiß nicht. Er war verliebt in den Fortschritt und, wie nur je ein echter Franzose, verliebt in die Vernunft. Das gab ihm etwas Trockenes, weißt du, und einen Schuss Ironie. Manchmal war es verdammt gefährlich, wenn er da zwischen Alarm und Alarm von Flugplatz zu Flugplatz raste, und seine Piloten zusammensuchte, um für sie die Messe zu lesen. Er hatte genug Fantasie, um zu wissen, dass es jeden Augenblick aus sein konnte. Doch er war ganz ohne Furcht. Wenn es besonders dreckig herging, pflegte er mit der linken Backe ein ganz klein wenig zu zucken, weiter nichts, dann zog er ein Scherchen aus seiner Westentasche und schnitt sich, ohne ein Wort zu sagen, das Haar aus den Nasenlöchern. Manchmal habe ich mich gefragt, was ihm eigentlich wichtiger war: seine Technik oder das Missionieren, und einmal, das Radio hatte gerade deutsche Flugzeuge angesagt, fragte ich es ihn selbst.«

»Na – und? Was sagte Pater Vorage?«

»Er hatte wohl keine Zeit mehr, etwas dazu zu sagen; die Luft war dick, in der nächsten Sekunde lagen wir auf dem Bauch. Hernach gab es einiges gutzumachen: Die Dakota sah etwas komisch aus und wusste anscheinend selbst nicht mehr recht, wozu sie gebaut worden war. Am Ende fuhren wir schließlich weiter; das heißt: Die Dakota fuhr, und wir schoben, dabei erzählte Pater Vorage, dass es von jeher sein Wunsch war, das Pilotenexamen zu machen.«

»Na, dazu ist es wohl nicht mehr gekommen?«

»Natürlich nicht. Der Krieg war zu Ende, Vorage und seine Dakota gingen wieder nach Haus. Aber neulich, an dem Etoile, na weißt du, sind wir uns fast in die Arme gefallen vor lauter Zärtlichkeit. Natürlich fragte ich ihn nach seiner Flugzeugkapelle, und ob sie etwa ganz abmontiert oder verschrottet sei. Verschrottet? Im Gegenteil, sagte er. Sie stehe jetzt neben der anderen Kirche, und nächstens werde ein Dominikaner Missionen darin halten. Es sei alles vorhanden: das Kreuz und die Glocke, man brauche nur zu läuten, dann kämen schon Menschen genug.«

»Das will ich wohl glauben. Dreißig Bekehrte werden das Wenigste sein«, sagte Etienne und spuckte aufs Neue eine Ladung Kirschkerne aus; er hatte heimlich weitergefressen und schämte sich nicht einmal.

»Wenn ich jetzt nicht Humor hätte ...«, sagte Fernand aus Bapaume in der Normandie.

Hier war die Zeit vorbei

Neulich behauptete Absalom – er heißt natürlich nicht Absalom, sondern wir, seine Schulfreunde, nennen ihn so aus einem Grund, den ich nachher erkläre, wenn mir noch Zeit dazu bleibt – die meisten Erfahrungen mache man heute auf einer Behördenbank. »Du kommst doch mit mir? Sie sitzen dort pikfein in einem Hochhaus aus Glas und Beton, die reine Sommerfrische.« Ich wollte zuerst nicht, doch Absalom sagte, es gäbe da eine Stenotypistin, die ich mir ansehen müsse, denn sie wäre genau mein Typ. Na, also, ich ließ mich überreden, ich lasse mich viel zu leicht überreden, und begleitete Absalom. Selbstverständlich war diese Sekretärin nichts weiter als ein Bluff. Im Sitzen war sie tatsächlich mein Typ, doch als sie aufstand, grundgütiger Himmel, fehlte von unten her gut die Hälfte, die man in Anbetracht ihres Halses hätte erwarten dürfen. Sie war eine Sitzgröße – ewig schade um diesen hübschen Kopf.

Zum Glück für Absalom kam das erst später, erst am Ende der Geschichte, heraus, die Absalom mir erzählte; ich hätte sonst nicht die Geduld gehabt, so lange zuzuhören. Übrigens hat er sie mir bestimmt schon zwanzigmal erzählt, immer in anderer Tonart, und dass er sie jetzt von Neuem erzählte, war nichts weiter als der Beweis dafür, dass sie ihm immer noch nicht in den Kopf geht, obwohl ihm doch seine Freunde und ich die Sache wieder und wieder erklärt und ihn schließlich samt seiner treulosen Elli in das hinterste Hinterindien verwünscht und: »Hau ab! Komm nicht wieder! Lass mich in Frieden!« dazu geäußert haben.

»Ich versteh nicht. Sie hätte doch warten können. Wir Soldaten haben ja auch gewartet – wir haben auf unsere Kluft gewartet und haben darauf gewartet, sie wieder fortzuschmeißen. Dazwischen haben wir nichts als gewartet: beim Wacheschieben und in der Kaserne, im Urlaub und an der Front. Wir haben gewartet, von Osten nach Westen und von Westen wieder nach Osten zu kommen, und als wir dann hinter dem Stacheldraht waren, haben wir auch gewartet: die einen in Kanada oder Texas, die andern in Leningrad.«

»Klar«, sagte ich, während ich in Gedanken den Kopf des Mädchens hinter der Glastür abzuschätzen versuchte; aber ob sie erst zwanzig war oder älter, brachte ich nicht heraus, denn man kann ein Mädchen erst abtaxieren, wenn es vom Stuhl aufsteht. »Lass sein. Du wirst es doch nicht ergründen, warum sie nicht warten konnte. Sie war eben nicht dafür gebaut. Eine so, die andere so.«

»Aber sieh mal –«, er redete wieder weiter, lauter alltägliches Zeug. Der Glastür gegenüber war eine riesige Wand aus Glas: lauter Himmel, wir waren im fünften Stockwerk, die Schwalben schossen daran vorüber, man konnte weit in das offene Land und bis zu dem Rand der Kiefernwälder, über Landstraßen, Vororthäuser und Wasserläufe sehen. »Rede nur«, dachte ich, »rede nur. Du redest mir lange gut.« Der Betrieb in dem Büro ging sehr langsam und – weil er immer wieder von Telefonanrufen: »How?« – »Please!« – »Yes!« – »No!«, unterbrochen wurde – mit hitziger Schwerfälligkeit voran, obwohl die Mädchen an ihren Maschinen wie die Teufel über die Tasten rasten … aber komischerweise kam es mir vor, als ob es mit der Sonne am Himmel und den Schatten, die über das Land hinrückten, schneller ginge als mit dem Diktat und den weiterrasselnden Schreibmaschinen, die das Diktat aus dem Stenogramm auf das Aktenstück übertrugen und vier, fünf Durchschläge machten.

»Bei dem letzten Urlaub sagte ich noch: Es dauert nicht mehr lang. Du kannst dich wirklich darauf verlassen – jetzt dauert es nicht mehr lang«, brabbelte Absalom weiter.

»Ja, ja.« Es war wirklich sehr eigentümlich, wie das Land sich beim Warten veränderte: Nur die Schwalben waren immer die gleichen, und an der Art, wie sie weiterschossen und ihre Bogen schlugen, merkte man es ganz deutlich: Auch noch in den nächsten tausend Jahren lernten die nichts dazu. Ich musste wohl über dem Dösen und Starren die Sekretärin vergessen haben, denn als ich endlich, weil

Absalom sagte: »Nun äußere dich doch auch einmal«, notgedrungen den Kopf zu ihm drehte, traf es mich wie ein Schlag.

Natürlich hatte ich schon das Schleifen und das leise Atmen und Ächzen im Unterbewusstsein gehört, aber so unvorbereitet, wie dieses Schauspiel und diese Szene sich jetzt auf dem langen, gebohnerten Flur, der zu der Wartebank führte, vor meinen Augen entfaltete – na, danke schön: Ich war platt.

Wirklich, bald hätte man glauben können, bei einem furchtbar teurem Begräbnis in Bali dabei zu sein:

Ein Aufbau, eine Götzenfigur, die großartig aufgeputzt war, und wahrscheinlich die Leiche mit sich führte, schwebte und wackelte über den Boden, von zwei älteren Frauen getragen – einer Feinen mit schiefem Blumenhütchen und weißen Glacéhandschuhen und einer Bäuerin [glatt gescheitelt, langer Rock, schwarzes Umschlagetuch], die das Götzenbild über die Erde zogen und es vorsichtig fest an den Armen hielten; an dürren, vollkommen steifen Armen, die sich waagrecht nach vorne streckten. Es war eine hundertjährige Frau, ich hörte es nachher sagen, die man hierher gebracht hatte: auf die zweite Wartebank uns gegenüber und im Rücken zu dem gläsernen Zimmer, zu den Schwalben, der Landschaft und zu den Schatten, die wie Uhrzeiger weitergingen –.

Ich gestehe es: Als ich die Alte ansah, bekam ich unerklärlicherweise einen ganz entsetzlichen Schock. Ich hätte nicht ärger erschrecken können, wenn, von dem Zeitraffer aufgenommen, das Mädchen vor meinen Augen [ich meine die Sekretärin] plötzlich zusammengeschnurrt und eingeschrumpelt wäre. »Das gibt es doch nicht. Das kann doch nicht sein«, sagte ich ganz verdattert. »Und überhaupt ist der Fahrstuhl für Zivilisten gesperrt.« [Na, so ein sinnloses Argument hat man eigentlich nur im Traum.] Aber die Antwort, die Absalom gab, war auch nicht viel gescheiter. »Tröstet dich das? Mich tröstet das nicht!« Ich glaube, er wollte sagen, das sei kein Beweis für ihn. Und wahrhaftig – es war auch tatsächlich keiner; weder einer dafür, dass sie hier war; noch einer dagegen, dass man sie wirklich von unten heraufgeschleust hatte.

Ihre beiden Töchter, zwei Polinnen, schienen das nicht zu empfinden. Sie redeten ruhig und freundlich, aber unausgesetzt aufeinander ein, während sie rechts und links das Gebäude in ihrer Mitte stützten, und seinen Giebel, bald rechts und bald links, an ihre Schulter legten. Ich bitte, mich nicht falsch zu verstehen, wenn ich »Gebäude« sagte; ich will nur damit zum Ausdruck bringen, dass dieses unbegreifliche Wesen vollkommen fertig war. Es war vollendet wie eine Säule, die man nur noch ansehen kann. Nichts zu verändern, nichts schöner, nichts besser, doch auch nichts schlechter zu machen; nichts mehr zu messen, nichts zuzumessen, nicht Sonnenuhr, Sanduhr, Standuhr – hier war die Zeit vorbei. So warteten wir: fünf Menschen; das heißt, nur vier davon warteten, der fünfte wartete nicht. Nein, der fünfte wartete nicht …

Wie ein Schlag, ich sagte es schon einmal, den man erleben kann, wenn man im Traum aus dem Bett gerollt ist, prallte mir plötzlich diese sonderbare Erkenntnis geradewegs vor die Stirn. Zum Glück stand mein Typ an der Schreibmaschine in diesem Augenblick auf, und Absalom, boshaft grinsend, trat mich gegen das Bein. »Bist du fertig mit deiner idiotischen Elli?«, fragte ich schonungslos – außerstande, ihm weiter zuzuhören. »Schon lange«, sagte er ganz erstaunt. »Ich weiß überhaupt nicht, warum ich dir heute diese Geschichte erzählte.«

Aber so ist er. So ist Absalom. Erst, wenn das Pferd unter seinem Hintern weitergelaufen ist, ohne ihn mitgenommen zu haben, merkt er, dass seine Geschichte ganz überflüssig war. Jedoch zum Ärger all seiner Freunde hängt er dann noch an dem Baum.

Im Einklang

Da war es also. Da war es wieder, Herr Doktor. Ich hatte es eigentlich schon erwartet, seit die Schafherde vor ein paar Tagen unter dem Fenster vorbeiging … obwohl doch so etwas an dem Stadtrand nichts Außergewöhnliches ist. Trotzdem. Ich sage mir, dieses Getrappel hat es vorherverkündigt. Dieses Getrappel, der Staub und die Wolle; vor allem aber dieses Getrappel von ungezählten Hufen unter dünnen zerbrechlichen Beinen. Das war die erste Schafherde wieder nach hundertfünfzig Jahren, die ich gesehen habe. Verrückt. Hundertfünfzig? Warum nicht gleich tausend? Warum nicht seit meiner Hinrichtung damals in dem Zuchthaus in Rockenberg? Verrückt. Vollkommen verrückt, nicht wahr? Aber man muss sich doch orientieren, man muss doch eine Markierung machen, einen Einschnitt: vorher und nachher, und so. Wer findet sich sonst noch heraus? Diese Hinrichtung [Soll ich nicht Hinrichtung sagen? Na, einerlei, ich sage mal so.] war im Jahr 22; vielmehr, die Ahnung von ihr. Verzeihung, Sie werden es mir nicht glauben. Aber damals fühlte ich schon ganz deutlich, dass ich später einmal geköpft werden würde, vielmehr: mit dem Fallbeil hingerichtet, um es genauer zu sagen. Natürlich bin ich dem Leibe nach nicht hingerichtet worden. Wie säße ich sonst hier? Aber was weiß man, was ahnt so ein Kind im dicken Oberhessen, so eine verhungerte Junglehrerin [»Schulverwalterin«, sagte man damals] mit siebenundachtzig Kindern, warum sie vor einer Hinrichtung Angst hat? Es war ja lächerlich, war ja verrückt – der Weltkrieg war eben vorbei. Und so schön, so gut und so schön wie damals, kann es kein Mensch heute haben. Ein Zimmer im Gasthaus unter dem Dach; der Blick ging auf den Gemüsegarten, jetzt fällt es mir wieder ein. Der Geruch von Bohnenkraut, Dill, Petersilie machte allein schon das Zimmer bezahlt – und dass man sich satt essen konnte. An das Sattessen darf ich heut gar nicht mehr denken; wahrscheinlich glaubten die Bauern alle, sie müssten mich erst einmal dicker machen, damit ich Kraft hätte, Kraft und Schwung, den Rohrstock zu regieren.

Woher also meine Vorahnung kam, dass ich später einmal geköpft werden würde, kann ich mir heut nicht erklären. Vielleicht von den Nerven, lieber Herr Doktor? Oder weil man, wie meine Mutter meinte, nichts zuzusetzen hatte? Na, kurzum: Ich hatte Angst. Ich schlief ein mit Angst, und ganz nass vor Angst wachte ich wieder auf. Ich war eben unterernährt. Allmählich – kein Wunder bei dieser Kost – nahm ich natürlich zu. Ich wurde ruhiger, der Sommer war heiß, und das Bier war schön kalt; jeden Sonnabend rollten die Kegelkugeln wie ein dicker, gemütlicher Donner über die Kegelbahn.

Merkwürdig, dass mir das heute einfällt. Aber eigentlich auch wieder nicht. Denn die Schafherde vor ein paar Tagen sagte mir schon, bevor ich es wusste: Endlich ist alles gut und vorbei. Vollkommen gut und vorbei.

Da ist es also. Da ist es wieder, was ich früher »im Einklang« nannte. Soll ich grübeln, was das eigentlich ist? Was diese Atemzüge bedeuten, diese tiefen, beruhigenden Atemzüge in einem leeren Zimmer, einer verlassenen kleinen Wohnung in der niemand ist außer mir? Denn »leer und verlassen« muss ich wohl sagen, seit ich weiß, dass mein Mann nicht mehr heimkommen wird, mein Bub nicht und meine Mutter nicht – also niemand, der jetzt noch mein Leben teilen und mein Zimmer bewohnen könnte. Trotzdem habe ich keine Angst mehr, *weil ich wieder im Einklang bin.* Mit wem im Einklang? Das war es eben, was ich gern wissen wollte, Herr Doktor – und bis gestern in meiner Küche das Kaffeewasser kochte, hatte ich ja noch Zeit genug, darüber nachzudenken. Ich darf nur nicht aufhören, weiter zu atmen, sagte ich mir. Auf keinen Fall. Sobald ich aufhöre, hört auch das Atmen des Alten Mannes auf. Einbildung, hätte Karl Heinz gesagt. Daran merkst du ja, dass du dich selber hörst. Aber das ist nicht wahr. Es ist etwas Zweites. Ein zweiter Atem, der Atem eines uralten Mannes, der den ganzen Raum und die ganze Wohnung und noch dazu meine ganze Brust und mein ganzes Leben erfüllt.

Zum ersten Mal, und dann immer wieder, habe ich dieses Geräusch mitten im Sommer gehört: in der Mittagsstunde, wenn alles schläft und die Sonne nicht weitergeht. Komisch: Ich wartete schon darauf, wie ich gestern, während das Wasser kochte, darauf gewartet habe. Ich saß gerade vor einem Stoß Hefte, in meinem Zimmer wellte die Hitze, die Balken knackten vor Glut. Es war vollkommen still. So ruhig und so still kann nämlich nichts auf der Welt sein wie ein Zimmer, worin der Alte Mann [so nannte ich ihn damals] mit mir zusammenatmet; so still wie eben im Augenblick, wo ich es wiederhöre und weiß: dass ich endlich im Einklang bin – ganz einfach im Einklang, sonst nichts.

Von da ab hatte ich keine Angst mehr. Ich brachte es sogar fertig, mir die Nacht vor der Hinrichtung vorzustellen, und hatte keine Angst. Ich wurde rund, ich wurde fast hübsch, trotz meiner Nickelbrille, sodass Karl Heinz, welcher bald darauf in unser Dorf kam, sich in der Wahl zwischen mir und dem Sannchen Vogel [was die Wirtstochter aus dem Goldenen Pflug war] für seine Kollegin entschied. Auch er war Schulverwalter wie ich; nach der Heirat gab ich den Schuldienst auf, wir wurden versetzt, und das nächste Dorf war schon bedeutend größer und lag an der Eisenbahn … dort kam unser Rudi zur Welt. Mein Mann war etwas Besonderes, das kann ich heute sagen. Er war Sozialist, das will noch nichts heißen. Er war Schulreformer. Das ist schon mehr. Jede neue Methode haben wir zusammen durchgesprochen und praktisch ausprobiert. Von 23 bis 33 waren die besten Jahre. Aber dann fing das Lügen an. Der Schulrat fiel um und fast alle Kollegen; sie drehten ihr Mäntelchen nach dem Wind und behaupteten, was das Parteiprogramm wollte, hätten sie immer gemeint. Vor allem natürlich den Sozialismus. Aber mein Mann sagte Nein. Er war ein Idealist, Herr Doktor, die Folgen sind ja klar. Zuerst Entlassung ohne Pension, er wurde bespitzelt, es war nicht schwer, ihm das Weitergeben verbotener Bücher und einen Briefwechsel nachzuweisen, der zum Verderben wurde. Das kam, wie es musste: Zuchthaus, KZ, hernach ein Prozess wegen Hochverrat, Pazifismus und Feindpropaganda – nun war alles schon einerlei. In diesen Jahren lernte ich lügen. Es war eine schwere Arbeit, Herr Doktor, aber endlich war ich so weit. Ich log für den Rudi und für meinen Mann, ich log der Gestapo ins Gesicht und log, wenn ich meinen gefangenen Mann hinter dem Gitter besuchte: zwei Wachmänner rechts und links. Wir hatten, ohne dass einer von uns sich mit dem andern verabredet hätte, eine Geheimsprache: Jedes Wort bedeutete gleichzeitig etwas Zweites – Seiltanzen oder Jonglieren mit fünfzehn, sechzehn Bällen auf einmal ist Kinderspiel dagegen. Natürlich machte ich heimlich weiter, was er begonnen hatte. Ich fand Leute, welche zu uns gehörten, verbreitete illegale Schriften und saß an der Druckpresse. Schließlich wurde auch ich geschnappt, weil einer nicht dicht halten konnte – das war kurz nach Stalingrad und in den Tagen, als unser Rudi fiel … Was soll ich Ihnen erklären, Herr Doktor? Ich muss weiterlügen: zuerst um die Sache, dann um den Mann, und als mein Mann hernach tot war, um meinen eigenen Hals. Wirklich kam ich auch bald nachher frei, ich glaube, fast aus Versehen – kein Mensch konnte sagen, weshalb.

Nach dem Umsturz hätte ich's gut haben können – aber da merkte ich eigentlich erst, dass ich nicht mehr im Einklang war. Jetzt fing meine Angst erst richtig an: Ich hatte Angst beim Schlangestehen und Angst vor der Einsamkeit. Auf jeder Brücke hatte ich Angst und Angst auf den Treppenstufen, Angst vor dem Leben und Angst vor dem Tod … ja, zuletzt Angst vor der Angst. Vielleicht ist alles zu viel gewesen; nachträglich scheint es mir so. Wer sich meiner erbarmt hat, weiß ich nicht. Aber plötzlich: Kommen und Gehen und das Getrappel der Hufe, ein bisschen Staub auf der heißen Straße – plötzlich war alles vorbei. Da ahnte ich schon, dass ich bald etwas hören und bald etwas wiederfinden würde, was ich lange vergessen hatte … ich kann nicht erklären, warum.

Und nun frage ich Sie: Wer ist dieser Mann, der mittags im Hochsommer mit mir atmet, wenn die Jalousien heruntergelassen und keine Stimmen zu hören sind; wenn die Leute schlafen, die Haustiere auch, und die Sonne im Zenith steht? Ist es das Leben? Ist es das Schicksal? Oder bin ich es selbst?

Das gibt es

Dreimal ist mir diese Geschichte, jedes Mal anders, zu Ohren gekommen, denn jedes Mal war es ein anderer Mensch, der mir diese Geschichte erzählt hat. Nur ihr Inhalt war immer genau der gleiche; das heißt, die Beobachtung, welche darin von jedem der drei gemacht worden war, stimmte mit dem Bericht der zwei andern fast wörtlich überein.

Wie man aus meiner Präambel bereits gemerkt haben wird, handelt es sich ganz einfach um ein Naturphänomen. Mancher wird sagen: Das gibt's nicht. Zum Beispiel die Menthe, welche erst Ja und hinterher Nein dazu sagte, weil ihr das Jasagen bei dem Herrn Kurt, dem schönen Napolalehrer, am Ende doch nichts genutzt hat. Die Wanda hingegen, die scharfe Polin, kann man heute nicht mehr befragen, weil sie längst nicht mehr bei dem dicken Meurich Gläser ausspülen muss; und weil auch der dicke Herr Meurich bei dem Einmarsch der Russen abgerückt ist, ist auch da nichts mehr auszuholen. Bleibt noch die Stallschwester Emerentia, die ihre Schüssel mit Kükenfutter im Stehen direkt auf den Bauch setzen konnte: so weit stand der Bauch heraus. Die Emerentia natürlich sagt heute immer noch ja, und die hat wohl auch Grund dazu.

Gut, hier ist der Bericht. Natürlich fehlt mir, um ganz genau und zuverlässig zu sein, die astronomische Zeit. Ich weiß sie nur annähernd – würde ich sagen: Es war am letzten Augusttag des Jahres 44 um 18:35, wäre keinem damit gedient. Der letzte Augusttag stimmt schon und auch das Jahr 44, aber 18:35 hab ich nur so im Gefühl. In diesem Augenblick also, sagen wir 18:35, drehte die Sonne sich dreimal um sich selbst. Ihre Scheibe, welche schon ziemlich niedrig über der Ebene hing, verlor mit einem Mal ihren Glanz; sie sah etwa so aus wie unter dem Rauchglas bei Sonnenfinsternis. Dann, während ihr Farbton sich änderte und in Dunkelrot überging, warf sie sich wie ein Wagenrad dreimal um ihre eigene Achse und stand gleich darauf wieder still.

Der Ort der Beobachtung war Neuzelle, ein Dorf in der Niederlausitz. »Dorf« darf man eigentlich nicht dazu sagen, Kleinstadt schon eher; na, kurz und gut: Es handelte sich bei diesem Neuzelle um ein prachtvolles Zisterzienserkloster, um die schönste Barockkirche weit und breit, die hoch auf einem geschwungenen Hügel über das Dorf hinwegsah, um einen kleinen künstlichen Fischteich am Fuß dieses Hügelchens, ein großes katholisches Waisenhaus, dem Hügelchen gegenüber, und schließlich und endlich um ein paar Häuser und Gärten und ein Gasthaus, das dem dicken Herrn Meurich samt einigen Äckern gehörte, samt der Fischpacht und drei, vier Polenmädchen – na, und das war ja genug. Die Kirche tut eigentlich nichts zur Sache, aber es wäre mir leid gewesen, sie gar nicht zu erwähnen – so unerhört schön ist sie. Vielleicht stellt man sich alles jetzt richtig vor und geht nicht bei der Beschreibung des Ortes von den Häusern, den Gärten und Äckern aus, sondern – wie das natürlich ist – zuerst von der Napola. Die Napola war das Ein und Alles. Wenn ihre schwarzen, kleinen Kadetten, was gibst du, was hast du, ins Dorf hineinkamen, merkte man gleich, wem das Dorf gehörte und überhaupt die Welt. Noch viel deutlicher merkte man es bei den Lehrern, und am deutlichsten bei dem schönen Kurtchen, mit dem die Menthe ging.

Sie ging mit ihm um den Fischteich herum, die Sache war am Tag vorher passiert, und er erzählte ihr; jedes Mal, wenn sie, den Teich umrundend, an der Franzosenbaracke in der Nähe vorüberkamen, pfiffen die Burschen auf einem Grashalm und fingen zu zwitschern an. Na, bitte, das lässt mich vollkommen kalt, dachte die Menthe – nur immer ruhig atmen und schön die Brust heraus. Indessen erzählte der Kurti weiter und schnippte mit der Peitsche; er war etwas abgelenkt durch die Franzosen und das Froschkonzert aus dem Fischteich, aber, nichts dagegen zu sagen: der Kurti erzählte gut. Die Menthe hörte ihm andächtig zu, denn das Zuhören ohne den Mund aufzumachen, war ihre Spezialität. Daneben auch das Maschinenschreiben und Stenografieren: Sie war Sekretärin bei »Kraft durch Freude« im Rahmen der Arbeitsfront. Natürlich wusste der Kurti genau, warum sie hier ihren Urlaub verbrachte und nicht etwa in Berlin, und diese Vorstellung, selbstverständlich, lenkte ihn ebenfalls ab – aber nicht unangenehm. Er fand sie sympathisch, so richtig bettreif, ein bisschen angefault, aber dafür auch wirklich mütterlich. Als sie zum drittenmal an den Franzosen vorbeigekommen waren, war seine Geschichte zu Ende.

»Und nun bitte ich Sie: Ist so etwas möglich? Gegen alle Vernunft? [Die Menthe dachte: Was will er hören?] Ich bin kein Kopernikus, Fräulein Menthe, ich bin nur ein Gefolgsmann des Führers und frage mich deshalb in erster Linie: Was würde der Führer dazu sagen? Und wenn es wirklich so war, Fräulein Menthe – hat das der Führer vielleicht gewollt? War es am Ende ein neuer Versuch mit der Vergeltungswaffe? Oder das Zeichen, dass bald unser Führer vergottet werden wird? Mit einem Wort: Bin ich verrückt geworden, oder gibt es so etwas, ja oder nein?«, fragte Herr Kurti brutal.

»Ja!«, sagte die Menthe, süß erschrocken wie vor dem Traualtar ...

»Komm her zu mir, Wanda. Ich tu' dir doch nichts. Hab ich dir jemals schon etwas getan? Bin ich nicht immer gut gewesen – wem soll ich denn schon an die Beine greifen, wenn der Sommer so heiß ist, und wenn meine Frau jedes Mal zu mir sagt: ›Geh doch fort, du riechst schon wieder nach Schnaps?‹ Aber ich bin ja gar nicht betrunken, auch gestern war ich gar nicht betrunken«, sagte der dicke Meurich und fing an zu erzählen.

[»Was hat er denn heute bloß, dieser Hornochs?«, dachte die scharfe Polin, welche neben ihm auf der Futterkiste in Meurichs Scheune saß, zog ihre Schürze straff um die Knie und presste den Mund zusammen. »Warum ist er heute so sanft?«]

»Aber so sprich doch, Wandachen, sprich doch!«, sagte der dicke Meurich zuletzt mit angstersticker Stimme. »So sage doch ein Wort! Glaubst du daran? Und wenn du dran glaubst: Was hat es zu bedeuten? Dreht sich das Blättchen? Ist alles verloren? Meine Äcker, mein Haus – und der Krieg? Kommen die Russen bald, Gott im Himmel? Und kommen sie bis hierher?«

Was ihm die Wanda geantwortet hat, ist heut nicht mehr zu erfahren; sie wird, wie immer, wenn er sie quälte, einen kurzen, eiskalten Blitz aus den Augenwinkeln geschossen haben, weiter nichts als nur diesen Blitz ...

»Ihr Polinnen glaubt ja alle daran«, sagte Herr Meurich endlich. »Da braucht man nicht erst zu fragen. Ihr und die Nonnen seid gar nicht so dumm, wie die Napolaleute uns weismachen wollen. Nein. Gar nicht, gar nicht so dumm –.«

[Übrigens soll er von dieser Zeit ab die Wanda nicht mehr geschlagen haben; sie hat es mir selbst erzählt.]

Dass die Nonnen nicht dumm sind, ist eine Behauptung; und dass sie es sind, eine andere – beide sind gleich viel wert. Es gibt kluge und dumme wie überall. Die Oberin Antoinetta gehörte zu den Klugen, das hat noch niemals jemand bestritten, auch die Stallschwester Emerentia nicht, welche die Zweitklügste war. Die Stallschwester Emerentia trug gerade die Schüssel mit Kükenfutter hinunter auf den Hof; das Federzeug, welches sie kommen sah, schnatterte aufgeregt, sie machte bscht, bscht … und die Oberin, die von der Lourdesmadonna im vorderen Teil des Gartens zu den Stallgebäuden herüberging, machte ebenfalls bscht, bscht, bscht. Man kann sich vorstellen, dass die Schwester nicht gerade davon erbaut war, doch weil sie an Gehorsam gewöhnt war, stützte sie ihre Schüssel auf und fragte: »Frau Oberin?«

Nun lief das Ganze zum drittenmal ab: dass die Sonne in diesem Augenblick sich dreimal drehte, den Glanz verlor und so aussah wie unter Rauchglas bei Sonnenfinsternis; dass ihr Farbton sich änderte, dunkelrot wurde, und dass sie sich wie ein Wagenrad um die eigene Achse warf – dreimal um ihre eigene Achse, um gleich darauf stillzustehen. Die Stallschwester hörte geduldig zu und dachte, während sie ihre Küken mit der Schuhspitze zärtlich beiseiteschob: Jetzt sieht unsre Mutter genau wieder aus wie die alte Frau auf dem komischen Bild in unserem Refektorium – das war eine Holbeinreproduktion, die Frau war ein Mann, doch die Emerentia hatte trotzdem vollkommen recht.

»So etwas gibt es«, sagte sie endlich. »Das hört man jetzt allenthalben. Manche wollen auch in der Scheibe die Muttergottes gesehen haben, aber, bscht, bscht, bscht, das glaube ich nicht; ich halte es mit der Madonna von Fatima, wenn die Frau Mutter erlaubt, zu der ihr Sohn gesagt haben soll: Bitte mich jetzt nicht länger, denn jetzt kommt das Gericht.«

Was die Oberin darauf geantwortet hat, kann ich natürlich nicht wissen, denn so weit geht leider meine Vertrautheit mit Emerentia nicht; aber ich ahne es. Damals nämlich, als mir die Schwester diese Geschichte beim Viehfüttern wiedererzählte, sagte sie mit einem Blick auf die Küken: »Die kriege ich noch groß.« Dann schüttelte sie den Kopf und sagte – nein, eigentlich fragte sie es wie ein Mensch, der Tag und Nacht über was ganz Bestimmtes nachzudenken gezwungen ist –: »Jerusalem, ach Jerusalem ...« Wer die Bibel ein bisschen genauer kennt, weiß, wie das weitergeht.

Sie hat sie wirklich noch großgezogen, die nächsten und übernächsten auch, denn als die Russen kamen, blieb die Stallschwester bei dem Vieh. Manchmal möchte ich ganz gerne wissen, was aus allen geworden ist: aus dem Kurti, der Menthe, der Wanda und dem dicken Meurich, der kurz vor dem Ende mit seinem Kuhwagen, seiner Frau und einigen Säcken voll Mehl und Erbsen nach Bayern gemacht sein soll. Nur eines weiß ich nicht: war das nun wirklich das Ende, was die Sonne damals angezeigt hat – *oder warten wir noch darauf?*

Fürchte Gott

Schön ist die Wiese, wenn rings in der Fülle
Blume um Blume uns kommt und vergeht.
Giftkraut fürs Grabscheit und Heilkraut zur Stille
Wuchern bewusstlos, indessen der Wille
Worfelt den Samen und wacht und besteht.
Schuppenwurz: Tagedieb,
Stechapfel: Niemand lieb.
Wär't ihr verweht –
Doch auf die Mauerkron
Schreibt ihr in Babylon:
Fürchtet den Samen, von ewig gesät!

Schön war die Wiese und schöner das runde
Antlitz des Mondes, dem nichts mehr gebrach.
Aber dann sonderte Stunde um Stunde
Ihn von den Sternen wie Flut von dem Sunde,
Und die Gestirne verdorrten ihm nach.
Fuhrmann und Reiterlein,

Bald muss geschrien sein
Wehe und Ach.
Wolltet ihr schweigen auch,
Spräche der Feigenstrauch:
Fürchtet das Feuer im höchsten Gemach!

Schön ist der Mond und im Mantel des Fleisches
Ist es der Mensch voller Same und Licht,
Welchen von Hode zu Häupten ein Gleiches
Mehrt wie das Kraut und im Spiegel des Teiches
Tag und Nacht mindert an Glanz und Gesicht.
Scheitelbein, Schädeljoch,
Heute vernahtet noch,
Morgen zunicht –
Der euch geworfelt hat,
Heilt euch in Josaphat:
Fürchtet mit Freuden das letzte Gericht!

Dekadente Erzählungen

Im kulturellen Verfall des Fin de siècle wendet sich die Dekadenz ab von der Natur und dem realen Leben, hin zu raffinierten ästhetischen Empfindungen zwischen ausschweifender Lebenslust und fatalem Überdruss. Gegen Moral und Bürgertum frönt sie mit überfeinen Sinnen einem subtilen Schönheitskult, der die Kunst nichts anderem als ihr selbst verpflichtet sieht.

Rainer Maria Rilke Die Aufzeichnungen des Malte Laurids Brigge **Joris-Karl Huysmans** Gegen den Strich **Hermann Bahr** Die gute Schule **Hugo von Hofmannsthal** Das Märchen der 672. Nacht **Rainer Maria Rilke** Die Weise von Liebe und Tod des Cornets Christoph Rilke

ISBN 978-3-8430-1881-4, 412 Seiten, 29,80 €

Erzählungen aus dem Sturm und Drang

Zwischen 1765 und 1785 geht ein Ruck durch die deutsche Literatur. Sehr junge Autoren lehnen sich auf gegen den belehrenden Charakter der - die damalige Geisteskultur beherrschenden - Aufklärung. Mit Fantasie und Gemütskraft stürmen und drängen sie gegen die Moralvorstellungen des Feudalsystems, setzen Gefühl vor Verstand und fordern die Selbstständigkeit des Originalgenies.

Jakob Michael Reinhold Lenz Zerbin oder Die neuere Philosophie **Johann Karl Wezel** Silvans Bibliothek oder die gelehrten Abenteuer **Karl Philipp Moritz** Andreas Hartknopf. Eine Allegorie **Friedrich Schiller** Der Geisterseher **Johann Wolfgang Goethe** Die Leiden des jungen Werther **Friedrich Maximilian Klinger** Fausts Leben, Taten und Höllenfahrt

ISBN 978-3-8430-1882-1, 476 Seiten, 29,80 €

Erzählungen aus dem Sturm und Drang II

Johann Karl Wezel Kakerlak oder die Geschichte eines Rosenkreuzers **Gottfried August Bürger** Münchhausen **Friedrich Schiller** Der Verbrecher aus verlorener Ehre **Karl Philipp Moritz** Andreas Hartknopfs Predigerjahre **Jakob Michael Reinhold Lenz** Der Waldbruder **Friedrich Maximilian Klinger** Geschichte eines Teutschen der neusten Zeit

ISBN 978-3-8430-1883-8, 436 Seiten, 29,80 €

www.ingramcontent.com/pod-product-compliance
Ingram Content Group UK Ltd.
Pitfield, Milton Keynes, MK11 3LW, UK
UKHW021616200125
4192UKWH00003B/33